Júlio Verne

A VOLTA AO MUNDO EM 80 DIAS

CONHEÇA NOSSOS LIVROS
ACESSANDO AQUI!

Título original: Le tour du monde en quatre-vingts jours, em francês

2ª Impressão 2022

Presidente: Paulo Roberto Houch
MTB 0083982/SP

Imagens de capa: Shutterstock
Tradução e preparação de texto: Fabio Kataoka
Revisão: Suely Furukawa
Diagramação: Rogério Pires

Vendas: Tel.: (11) 3393-7727 (comercial2@editoraonline.com.br)

Impresso no Brasil.
Foi feito o depósito legal.

Direitos reservados ao
IBC – Instituto Brasileiro de Cultura LTDA
CNPJ 04.207.648/0001-94
Avenida Juruá, 762 – Alphaville Industrial
CEP. 06455-010 – Barueri/SP
www.editoraonline.com.br

Sumário

Introdução

Júlio Verne escreveu esta incrível história em 1873. Passados quase 150 anos, a aventura continua moderna e emocionante, capaz de prender o leitor a cada capítulo, daquele jeito que não conseguimos parar de ler. Muito suspense, emoção e romance.

A obra retrata a tentativa do cavalheiro inglês Phileas Fogg e seu valete, Passepartout, de dar a volta ao mundo em 80 dias. É considerada uma das maiores obras da literatura mundial, tendo inspirado várias adaptações para cinema e teatro. A viagem começa em Londres, passa rapidamente por Paris e segue para o canal de Suez e percorre Índia, China, Japão e Estados Unidos. Só saberemos do resultado nas páginas finais.

Numa versão ganhadora do Oscar de 1957, Phileas Fogg foi interpretado por David Niven e Passepartout, por Cantinflas. Enquanto Shirley MacLaine viveu a Sra. Aouda. A grande novidade da adaptação foi o balão utilizado para parte do trajeto. Fez tanto sucesso que acabou se tornando uma espécie de marca registrada do título.

Em 2004, a história teve nova ação, com subtítulo *Uma Aposta Muito Louca*. Jackie Chan vive Passepartout, enquanto Steve Coogan interpreta Phileas Fogg, que se torna um inventor maluco. Cécile de France substitui Sra. Aouda por Monique La Roche, uma garçonete francesa, enquanto Arnold Schwarzenegger faz ponta como personagem que não existe no livro de Verne.

Phileas Fogg. Reprodução de ilustração do original "Around the World in Eighty Days", pintada por Alphonse de Neuville e/ou Léon Benett, em 1873.

Capítulo 1

Phileas Fogg e Passepartout se aceitam como chefe e empregado

No ano de 1872, a casa número 7, em Saville Row, Burlington Gardens - onde Sheridan morreu, em 1814 - era habitada por Phileas Fogg, um dos membros mais singulares e notáveis do Reform Club em Londres, embora ele parecesse fazer questão de não fazer nada que pudesse chamar a atenção.

Phileas Fogg era um personagem enigmático, de quem nada se sabia, a não ser que era homem muito educado e um dos mais perfeitos cavalheiros da alta sociedade inglesa. Era parecido com o poeta romântico Byron, mas um Byron barbudo e tranquilo, que poderia viver mil anos sem envelhecer.

Certamente um inglês, era mais duvidoso que Phileas Fogg fosse londrino. Nunca o tinham visto nem na bolsa de valores, nem no banco, nem em nenhum dos corredores do centro da cidade. Nem as bacias e docas de Londres jamais tinham recebido um navio cujo armador fosse Phileas Fogg. O cavalheiro não figurava em nenhuma gerência administrativa. Nunca seu nome ressoara em algum escritório de advogados, nem no Temple, nem em Lincoln's Inn, nem em Gray's Inn. Jamais pleiteara à Corte do chanceler, nem ao Banco da Rainha, ao Tesouro, nem a qualquer Corte eclesiástica.

Não era industrial, nem negociante, nem comerciante, nem agricultor. Não fazia parte da Instituição real da Grã-Bretanha, da Instituição de Londres, da Instituição dos Artesãos, da Instituição Russell, da Instituição literária do Oeste, da Instituição do Direito, desta Instituição das Artes e das Ciências reunidas, que está sob o patrocínio direto de Sua Majestade.

Não pertencia, resumindo, a nenhuma das numerosas sociedades que pululam na capital da Inglaterra, da Sociedade da Harmônica à Sociedade Entomológica, fundada principalmente com a finalidade de promover a destruição dos insetos nocivos.

Phileas Fogg era membro do Reform Club, e só.

Para quem acha estranho um cavalheiro tão misterioso figurar entre os membros desta distinta associação, a resposta é que foi admitido graças à recomendação dos Baring, junto aos quais tinha crédito aberto. Além disso, Phileas Fogg apresentava um certo ar de respeitabilidade por serem os seus cheques pagos à vista, debitados em sua conta corrente invariavelmente credora.

Phileas Fogg seria rico? Sem dúvida. Mas aqueles que o conheciam melhor não podiam imaginar como ele havia feito sua fortuna, e Sr. Fogg seria o último a quem conviria indagar. Em todo caso, não era nada esbanjador, nem mesquinho, pois, onde quer precisassem de uma contribuição para algo nobre, útil ou generoso, colaborava discretamente e, às vezes, anonimamente.

Ele era, em suma, o menos comunicativo dos homens. Ele falava muito pouco, e parecia tanto mais misterioso quanto mais silencioso se mostrava.

Embora vivesse às claras, tudo o que fazia era tão matematicamente sempre o mesmo, que a imaginação, insatisfeita, procuraria ver além.

Andou viajando? Era provável, porque ninguém conhecia melhor do que ele o mapa múndi. Não havia lugar, por mais longe que fosse, que não soubesse onde é. Às vezes, mas em poucas palavras, breves e claras, corrigia os mil boatos que circulavam no clube sobre viajantes perdidos ou extraviados. Indicava as verdadeiras probabilidades, e suas palavras muitas vezes pareciam inspiradas por uma espécie de dom profético. Era um homem que devia ter viajado por toda a parte, pelo menos em espírito.

Phileas Fogg não saïa de Londres há muitos anos. Quem o conhecia bem garantia que salvo o caminho direto que percorria diariamente para vir de sua casa ao clube – ninguém poderia esperar vê-lo em outro lugar. O seu único passatempo era ler jornais e jogar whist. Neste jogo silencioso, tão apropriado à sua índole, ganhava muitas vezes, mas os ganhos nunca iam para seu bolso: faziam parte de seu orçamento para a caridade. Além disso, é preciso que se note, Sr. Fogg jogava evidentemente por jogar, não para ganhar. O jogo era para ele um combate, luta contra uma dificuldade, mas luta sem movimento, sem deslocamento, sem fadiga, e isso combinava com o seu caráter.

Ninguém sabia se ele tinha mulher ou filhos, parentes ou amigos. Phileas Fogg vivia só na sua casa de Saville Row, onde pessoa alguma penetrava. Do seu interior ninguém cuidava. Bastava-lhe um criado. Almoçava e jantava no clube a horas cronometricamente determinadas, na mesma sala, à mesma mesa, sem compartilhar com amigos, não convidando nenhum estranho. Só voltava para casa para se deitar, à meia-noite em ponto, sem jamais usar os aposentos confortáveis que o Reform Club coloca à disposição dos seus membros.

Em um dia de vinte e quatro horas, passava dez em casa, fosse para dormir, fosse para cuidar da sua higiene. Quando passeava, era sempre em passo igual, na sala de entrada com mosaicos, ou na galeria circundada por vitrais azuis, sustentados por vinte colunas jônicas de pórfiro vermelho. Se almoçava ou jantava, eram as cozinhas, a despensa, a copa, a peixaria, a leiteria do clube que forneciam à sua mesa suas suculentas reservas.

Eram os criados do clube, personagens de aspecto solene, em trajes pretos, calçando sapatos com sola de feltro, que o serviam em uma porcelana especial e sobre admirável toalha de mesa de linho. Eram os finos cristais do clube que continham o seu licor, o seu porto ou seu clarete misturado com canela, avenca e cinamomo. Era finalmente o gelo do clube – gelo vindo com imenso custo dos lagos da América – que lhe conservava as bebidas em um estado de frescor satisfatório.

Se viver em tais condições é ser excêntrico, a excentricidade é coisa muito boa!

A casa de Saville Row, sem ser suntuosa, era muito confortável. Além disso, com os hábitos regulares do morador, o serviço reduzia-se a pouca coisa. Phileas Fogg exigia do seu único criado uma pontualidade, uma regularidade extraordinária. Naquele mesmo dia, 2 de outubro, dera aviso prévio a James Forster porque o criado cometera a falta de lhe trazer para a barba água a 84 graus Fahrenheit em vez de a 86. Agora aguardava seu sucessor, que deveria apresentar-se entre 11h00 e 11h30.

Muito bem sentado em sua poltrona, os pés juntos como os de um soldado em revista, as mãos apoiadas sobre os joelhos, o corpo aprumado, a cabeça levantada, Phileas Fogg observava o caminhar dos ponteiros de seu relógio de chão - complicadíssimo aparelho que indicava as horas, os minutos, os segundos, os dias, as quinzenas e o ano. Quando soassem onze e meia, Sr. Fogg deveria, conforme seu hábito quotidiano, deixar a casa e dirigir-se para o Reform Club.

Bateram à porta da pequena sala onde Phileas Fogg se encontrava. James Forster, o criado despedido, apareceu e anunciou:

– O novo criado!

Um rapaz de uns trinta anos de idade apresentou-se e cumprimentou.

– É francês e se chama John? – estranhou Phileas Fogg.

– Jean, se não lhe desagradar! – respondeu o recém-chegado. Jean Passepartout, sobrenome que me ficou, e que justificava a minha aptidão natural para me safar de apuros. Considero-me um rapaz honesto, senhor, mas, para ser franco, já exerci muitas profissões. Fui cantor ambulante, artista de circo, saltando com o Léotard, dançando na corda com o Blondin. Depois virei professor de ginástica, para tornar mais úteis os meus talentos, e, por fim, fui sargento de bombeiros em Paris. Tenho até em meu currículo alguns incêndios notáveis. Mas já fazem cinco anos que deixei a França e que, desejando gozar a vida de família, sou criado de quarto na Inglaterra. Ora, achando-me sem colocação e tendo sabido que Sr. Phileas Fogg era a pessoa mais exata e mais sedentária do Reino Unido, aqui me apresentei em sua casa na esperança de viver tranquilo e até esquecer este nome de Passepartout...

– Passepartout está bom para mim! – respondeu o cavalheiro. Você me foi recomendado. Tenho boas referências a seu respeito. Sabe quais são as minhas condições?

– Sim, senhor.

– Bem. Que horas são?

– Onze e vinte, respondeu Passepartout, tirando do fundo do bolso do colete um enorme relógio de prata.

– Está atrasado, disse Sr. Fogg.

– O senhor me desculpe, mas é impossível.

– Atrasado em quatro minutos. Não importa. Basta calcular a diferença. Portanto, a partir deste momento, 11h29 da manhã, desta quarta-feira, 2 de outubro de 1872, fica ao meu serviço.

Dito isto, Phileas Fogg levantou-se, pegou seu chapéu com a mão esquerda, colocou-o na cabeça com um movimento automático, e desapareceu sem falar mais nada.

Passepartout ouviu a porta da rua se fechar uma primeira vez: era seu novo chefe que saía. Depois, uma segunda vez: era seu antecessor, James Forster, que ia embora.

Passepartout ficou só na casa de Saville Row.

Capítulo 2

Em que Passepartout acredita que finalmente encontrou o seu ideal

–Por minha fé! Vi no museu de Madame Tussaud criaturas tão humanas quanto o meu novo chefe! – disse Passepartout para si mesmo.

As "criaturas" de Madame Tussaud são figuras de cera que só faltam falar, muito visitadas em Londres.

Nos poucos instantes em que acabava de avistar Phileas Fogg, Passepartout tinha rápida, mas cuidadosamente, examinado seu futuro patrão. Era um homem que parecia ter quarenta anos, de aspecto nobre e belo, alto, que não tinha sequer um ligeiro excesso de peso, cabelos e suíças loiros, testa lisa sem rugas nas têmporas, face pálida, dentes magníficos. Parecia possuir no mais alto grau o que os fisionomistas chamam de "descanso em ação", qualidade comum a todos os que fazem mais ações do que barulho. Calmo, fleumático, olhar límpido, pálpebra imóvel, era o típico inglês de sangue frio que se encontra frequentemente no Reino Unido, e cuja atitude um pouco acadêmica os pincéis de Angelica Kauffmann tão bem retratou.

Este cavalheiro dava a ideia de um indivíduo bem equilibrado em todas as suas partes, muito refletido, tão perfeito como um cronômetro de Leroy ou de Earnshaw. É que, efetivamente, Phileas Fogg era a exatidão personificada, o que se via claramente pela "expressão dos seus pés e de suas mãos", porque no homem, assim como nos animais, os próprios membros são em si órgãos expressivos das paixões.

Phileas Fogg era desses indivíduos, matematicamente exatos, que, jamais apressados e sempre prontos, são econômicos em seus passos e em seus movimentos. Não dava um passo a mais, indo sempre pelo caminho mais curto. Não perdia tempo, sequer um instante, a olhar para o teto. Não se permitia um gesto supérfluo. Ninguém nunca o tinha visto comovido ou perturbado. Era o homem menos apressado do mundo, mas chegava sempre a tempo.

Podemos compreender a razão por que vivia só, e por assim dizer fora de toda relação social. Sabia que na vida é preciso ter em conta os atritos, e como os atritos atrasam, para os evitar, não entrava em contato com ninguém.

Quanto a Jean, vulgo Passepartout, um verdadeiro parisiense de Paris, nos cinco anos que habitava a Inglaterra e ali exercia em Londres a profissão de criado de quarto, em vão procurara um patrão a quem pudesse se afeiçoar.

Passepartout não era um desses sujeitos caricatos, de ombros erguidos, o nariz ao vento, os olhos seguros, os olhos secos. Era um rapaz valente, fisionomia amável, lábios um pouco salientes, sempre prontos para degustar ou para acariciar, um ser doce e serviçal, com uma dessas cabeças redondas que a gente gosta de ver sobre os ombros de um amigo. Tinha os olhos azuis, a cor do rosto animada, a figura suficientemente gorda para que pudesse ver seus joelhos, peito amplo, talhe forte, uma musculatura vigorosa e possuía uma força hercúlea que os exercícios da sua juventude tinham desenvolvido muito. Seus cabelos castanhos eram um pouco rebeldes. Se os escultores da Antiguidade conheciam dezoito maneiras de compor a cabeleira de Minerva, Passepartout só conhecia uma para arranjar a sua: três passadas de pente, e estava penteado.

Esperar que o caráter expansivo deste rapaz haveria de se harmonizar com o de Phileas Fogg, é coisa que a prudência mais elementar não permite.

Passepartout seria o criado funcionalmente adequado para seu patrão? Só o tempo diria. Depois de ter tido, como se sabe, uma juventude bastante vagabunda, aspirava ao repouso. Tendo ouvido gabar o metodismo inglês e a proverbial frieza dos cavalheiros, veio procurar fortuna na Inglaterra. Mas, até então, a sorte lhe fora ingrata. Não pudera se enraizar em parte alguma. Servira em dez casas. Em todas, os patrões eram caprichosos, extravagantes, e gostavam, ou de correr aventuras, ou correr países – o que não poderia convir a Passepartout.

Passepartout, que queria acima a de tudo ter respeito por seu patrão, arriscou algumas respeitosas observações, que foram mal recebidas, e interrompeu. Neste meio tempo soube que Phileas Fogg procurava um criado. Tirou informações a respeito deste cavalheiro. Um personagem cuja existência era tão regular, que não tresnoitava, que não viajava, que não se ausentava jamais, sequer um dia, certamente lhe conviria. Apresentou-se e foi admitido nas condições que sabemos.

Passepartout estava só na casa de Saville Row, às 23h30. Começou logo a inspeção. Percorreu-a do porão ao sótão. Esta casa limpa, arrumada bem organizada para o serviço doméstico, e ficou satisfeito. Produziu nele o efeito de uma bela concha de caracol, mas de uma concha iluminada e aquecida a gás, porque ali o gás bastava para todas as necessidades de luz e de calor. Passepartout encontrou sem dificuldade, no segundo andar, o quarto que lhe fora destinado. Considerou tudo conveniente.

Campainhas elétricas e tubos acústicos colocavam o quarto em comunicação com os apartamentos de baixo e do primeiro andar. Sobre a chaminé havia um relógio de pêndulo elétrico que estava acertado pelo do quarto de dormir de Phileas Fogg, e os dois aparelhos marcavam ao mesmo tempo, o mesmo segundo.

– Combina comigo! – disse Passepartout para ele mesmo.

Viu no seu quarto, um aviso colocado acima do relógio. Era o cronograma do serviço quotidiano. Compreendia – desde as oito da manhã, hora regulamentar a que Phileas Fogg se levantava, até às onze e meia, hora em que saía para ir almoçar no Reform Club – todos os detalhes do serviço, o chá e as torradas das 08h23, a água para a barba das 09h37, o penteado das 09h40, etc. Depois, das 11h30 da manhã até à meia-noite – hora em que metodicamente o cavalheiro se deitava – tudo estava anotado, previsto, regulamentado. Passepartout encontrou grande satisfação em estudar este programa e em memorizar os detalhes.

Reparou que o guarda-roupa do patrão estava bem abastecido e maravilhosamente disposto. Cada calça, casaco ou colete tinha um número de ordem reproduzido num registro de entradas e de saídas, indicando a data em que, segundo a estação, estas vestimentas deveriam ser por seu turno usadas. Mesma regulamentação para os sapatos.

Na casa de Saville Row havia uma mobília confortável, anunciando um belo descanso. Nada de biblioteca, nada de livros, que seriam sem utilidade para Sr. Fogg, posto que o Reform Club colocava à sua disposição duas bibliotecas, uma consagrada às letras, outra ao direito e à política. No quarto de dormir, um cofre-forte de tamanho médio, cuja construção o punha a salvo tanto de incêndio quanto de roubo. Nada de armas na casa, nenhum utensílio de caça ou de guerra. Tudo ali denunciava os hábitos mais pacíficos.

Após ter examinado esta residência, Passepartout esfregou as mãos, o semblante se abriu e ele repetiu alegremente:

– Isto me convém! É disso que gosto! Vamos nos entender perfeitamente, Sr. Fogg e eu! Um homem caseiro e regular! Uma verdadeira máquina! Ora, não me importa servir uma máquina!

Capítulo 3

Conversa que pode custar caro a Phileas Fogg

Phileas Fogg saiu de sua casa de Saville Row às onze e meia, e, depois de ter posto 575 vezes seu pé direito diante do seu pé esquerdo e 576 vezes o seu pé esquerdo diante do seu pé direito, chegou ao Reform Club, vasto edifício, construído em Pall Mall, que não custou menos de três milhões para ser erguido.

Phileas Fogg dirigiu-se logo para a sala de jantar, cujas nove janelas se abriam sobre um belo jardim com árvores já douradas pelo outono. Ali, tomou lugar à mesa habitual onde já estava o seu aperitivo. O almoço consistia de um peixe cozido temperado com um molho avermelhado, rosbife guarnecido com cogumelos, de uma empada recheada com pedacinhos de ruibarbo e groselhas verdes, além de um pedaço de peito de frango. Tudo isto regado com algumas xícaras de um chá excelente, especialmente selecionado pelo encarregado do Reform Club.

Às doze e quarenta e sete, o cavalheiro levantou-se e dirigiu-se para o grande salão, compartimento magnífico, decorado com pinturas ricamente enquadradas. Ali um criado entregou-lhe o Times ainda por abrir, e que Phileas Fogg desdobrou com uma firmeza que denotava grande hábito em tão difícil operação. A leitura deste jornal o ocupou até às três e quarenta e cinco. A leitura do *Standard* se estendeu até perto da hora do jantar. Esta refeição foi semelhante ao almoço, com a adição do molho britânico real.

Às vinte para as seis, o cavalheiro reapareceu no grande salão e se concentrou na leitura do *Morning Chronicle.* Meia hora mais tarde, alguns membros do Reform Club chegaram e se aproximaram da lareira, onde o fogo ardia. Eram os parceiros habituais de Sr. Phileas Fogg, jogadores de whist: o engenheiro Andrew Stuart, os banqueiros John Sullivan e Samuel Fallentin, o cervejeiro Thomas Flanagan, Gauthier Ralph, um dos administradores do Banco da Inglaterra – pessoas ricas e consideradas, mesmo neste clube que contava entre seus membros líderes da indústria e da finança.

– Bem, Ralph, e quanto ao roubo? – perguntou Thomas Flanagan,

– Nesta altura, o banco pode dizer adeus ao dinheiro. – respondeu Andrew Stuart.

– Espero, disse Gauthier Ralph, que pegue o autor do roubo. Inspetores de polícia, pessoas muito hábeis, foram enviados para a América e a Europa, para todos os portos de embarque e desembarque, e vai ser difícil esse senhor escapar.

– Então têm a descrição do ladrão? – perguntou Andrew Stuart.

– Em primeiro lugar, não é um ladrão, respondeu seriamente Gauthier Ralph.

– Como, não é um ladrão, um indivíduo que subtraiu cinquenta e cinco mil libras em papel-moeda?

– Não! – respondeu Gauthier Ralph.

– Então é um industrial? – disse John Sullivan.

– O Morning Chronicle assegura que é um cavalheiro!

Quem deu esta resposta não foi outro senão Phileas Fogg, cuja cabeça estava no meio de uma montanha de papel. Ao mesmo tempo, Phileas Fogg cumprimentou os seus colegas, que lhe retribuíram o cumprimento.

O fato que comentavam, que os diversos jornais do Reino Unido discutiam com ardor, ocorreu três dias antes, no dia 29 de setembro. Um maço de dinheiro, totalizando cinquenta e cinco mil libras, fora tirado da frente do guichê do caixa principal do Banco da Inglaterra.

Para quem se surpreendesse que um tal roubo pudesse se realizar com tanta facilidade, o vice-diretor Gauthier Ralph se limitaria a responder que naquele exato momento o caixa estava ocupado em fazer o lançamento de uma receita de três xelins e seis pences, e que não se pode estar de olho em tudo.

Vamos considerar o que torna o fato mais explicável – que este admirável estabelecimento, o Bank of England, parece importar-se ao extremo com a dignidade do público. Nada de grades, nada de porteiros, nada de guardas! O ouro, a prata e cédulas estão expostos livremente à mercê do primeiro recém-chegado. Um dos melhores observadores dos costumes ingleses conta o seguinte: Numa das salas do banco, onde se encontrava um dia, teve a curiosidade de ver mais de perto um lingote de ouro, pesando de sete a oito libras, que estava exposto na mesa do caixa. Pegou o lingote, examino, passou para um seu vizinho, este passou para um outro, e o lingote, de mão em mão, foi até ao fundo de um corredor escuro, e só meia hora depois voltou ao seu lugar, sem que o caixa levantasse sequer a cabeça.

Mas, em 29 de setembro, as coisas não se passaram assim. O maço de notas não voltou, e quando o magnífico relógio, posto acima do escritório anunciou às cinco horas o fechamento de caixa, o Banco da Inglaterra incluiu na conta de perdas e danos cinquenta e cinco mil libras!

A aposta de Phileas Fogg. Reprodução de ilustração do original "Around the World in Eighty Days", pintada por Alphonse de Neuville e/ou Léon Benett, em 1873.

Reconhecido o roubo, agentes e investigadores escolhidos dentre os mais hábeis, foram enviados para os principais portos, para Liverpool, para Glasgow, Havre, Suez, Brindisi, Nova York, etc., com a promessa, no caso de sucesso, de uma gratificação de duas mil libras e cinco por cento da quantia que fosse recuperada. Os inspetores tinham por missão observar escrupulosamente todos os viajantes que chegassem ou partissem. Ora, precisamente, como dizia o Morning Chronicle, havia razões para se supor que o autor do roubo não fazia parte de nenhuma das associações de ladrões da Inglaterra.

Durante o dia 29 de setembro, um cavalheiro bem-apessoado, de boas maneiras, foi visto passeando pela sala dos pagamentos, palco do roubo. O inquérito permitiu reproduzir com bastante exatidão a descrição deste cavalheiro, que foi imediatamente enviada a todos os detetives do Reino Unido e do continente. Alguns crédulos – Gauthier Ralph entre eles – julgavam-se pois com base para esperar que o ladrão não escaparia.

Este fato estava na ordem do dia em Londres e em toda a Inglaterra. Discutia-se, tomando partido a favor ou contra as probabilidades do êxito da polícia metropolitana. Não é de estranhar, pois, ouvir os membros do Reform Club tratarem da mesma questão, ainda mais que um dos vice-diretores do Banco se achava entre eles.

O ilustre Gauthier Ralph não queria duvidar do resultado das buscas, calculando que a gratificação oferecida deveria estimular e muito o zelo e a inteligência dos agentes. Mas o seu colega, Andrew Stuart, estava longe de compartilhar desta confiança. A discussão continuou, pois, entre os cavalheiros que se tinham sentado a uma mesa de whist: Stuart em frente de Flanagan; Fallentin diante de Phileas Fogg. Durante o jogo, os jogadores não falavam, mas entre as rodadas a conversação interrompida recomeçava com mais animação.

– Eu sustento, disse Andrew Stuart, que as probabilidades são a favor do ladrão, que não pode deixar de ser um homem muito astuto!

– Ora, vamos – respondeu Ralph –, não há mais um só país em que ele possa se refugiar.

– Por exemplo! Para onde quer que ele vá?

– Não sei, respondeu Andrew Stuart, mas, afinal, a terra é bastante vasta.

– Era outrora... disse à meia voz Phileas Fogg.

Depois:

– É sua vez de cortar, acrescentou apresentando as cartas a Thomas Flanagan.

A discussão foi suspensa durante a rodada. Mas logo Andrew Stuart a retomou, dizendo:

– Como, outrora? A terra diminuiu, por acaso?

– Sem dúvida, respondeu Gauthier Ralph. Sou da opinião de Sr. Fogg. A terra diminuiu, pois a percorremos agora dez vezes mais depressa do que há cem anos. E isso quer dizer que, no caso de que falamos, as buscas serão bem mais rápidas.

– E o ladrão também fugirá mais rápido!

– É sua vez de jogar, senhor Stuart! – disse Phileas Fogg.

Mas o incrédulo Stuart não estava convencido...

– Sr. Ralph achou um modo engraçado de dizer que a terra encolheu! Porque atualmente damos a volta nela em três meses...

– Em oitenta dias apenas! – disse Phileas Fogg.

– Certo, senhores, acrescentou John Sullivan, oitenta dias, desde que a seção entre Rothal e Alaabad foi aberta sobre o Great-Indian Peninsular Railway, e eis aqui o cálculo feito pelo Morning Chronicle:

De Londres a Suez pelo Monte Cenis e Bríndisi... trem e navio, 7 dias;
De Suez a Bombaim, navio... navio a vapor: 13;
De Bombaim a Calcutá, ferrovia: 3;
De Calcutá a Hong Kong (China), ferrovia: 13
De Hong Kong a Yokohama (Japão), navio: 6
De Yokohama a São Francisco, navio: 22
De São Francisco a Nova York, ferrovia: 7
De Nova York a Londres, navio e ferrovia: 9
Total: 80 dias

– Sim, oitenta dias! – exclamou Andrew Stuart, mas sem incluir o mau tempo, os ventos contrários, os naufrágios, os descarrilamentos, etc.

– Tudo incluído, respondeu Phileas Fogg continuando a jogar, porque, desta vez, a discussão não respeitava mais o whist.

– Mesmo que os índios retirem os trilhos! – exclamou Andrew Stuart, se pararem os trens, se roubarem os carros, se escalpelarem os viajantes!

– Tudo incluído! – respondeu Phileas Fogg.

O cavalheiro pôs o jogo na mesa e acrescentou:

– Dois trunfos!

Andrew Stuart embaralhou as cartas dizendo:

– Teoricamente, tem razão, senhor Fogg, mas na prática...

– Na prática também, senhor Stuart.

– Bem que gostaria de ver.

– Depende só do senhor. Partamos juntos.

– Deus me livre! – exclamou Stuart, mas bem que apostaria quatro mil libras que uma tal viagem, nessas condições, é impossível.

– Ao contrário, bem possível! – respondeu Sr. Fogg.

– Pois então, faça-a!

– A volta ao mundo em oitenta dias?

– Sim.

– Adoraria.

– Quando?

– Já!

– É loucura! – exclamou Andrew Stuart, que começava a se incomodar com a insistência do seu parceiro. Chega! Vamos jogar.

– Torne então a dar as cartas – respondeu Phileas Fogg – porque não deu direito.

Andrew Stuart retomou as cartas com as mãos nervosas. Depois, súbito, colocou-as sobre a mesa:

– Sim, senhor Fogg, aposto quatro mil libras!...

– Meu caro Stuart, acalme-se. Isto não é a sério! –, disse Fallentin.

– Quando digo aposto, é sempre a sério. – respondeu Andrew Stuart.

– Que seja! – disse Sr. Fogg.

Depois, voltando-se para os seus colegas:

– Tenho vinte mil libras depositadas no Baring. Arrisco de bom grado...

– Vinte mil libras! – exclamou John Sullivan – Vinte mil libras que uma demora imprevista pode fazê-lo perder!

– O imprevisto não existe! – respondeu simplesmente Phileas Fogg.

– Mas, Sr. Fogg, este lapso de oitenta dias não é calculado senão como um mínimo de tempo!

– Um mínimo bem empregado é suficiente para tudo.

– Mas para não o ultrapassar, é preciso saltar matematicamente das ferrovias para os navios!

– Saltarei matematicamente.

– Está brincando!

– Um bom inglês nunca brinca quando se trata de uma coisa tão séria quanto uma aposta. Eu aposto vinte mil libras contra quem quiser que farei a volta ao mundo em oitenta dias ou menos, ou seja, 1.920 horas ou 115.200 minutos. Aceitam? – desafiou Phileas Fogg.

– Aceitamos! – responderam os senhores Stuart, Fallentin, Sullivan, Flanagan e Ralph, após terem se consultado.

– Bom, disse Sr. Fogg. O trem para Dover parte às oito e quarenta e cinco. Vou nele.

– Esta noite mesmo? – perguntou Stuart.

– Esta noite mesmo, respondeu Phileas Fogg. Portanto, acrescentou ele, consultando um calendário de bolso, já que hoje é quarta-feira, dia 2 de outubro, deverei estar de volta a Londres, a este mesmo salão do Reform Club, no sábado 21 de dezembro, às 8h45 da noite, caso contrário as vinte mil libras depositadas atualmente no meu crédito com os Irmãos Baring lhes pertencerão de fato e de direito, senhores. Eis aqui um cheque de tal soma.

Os seis interessados fizeram e assinaram um contrato particular de aposta. Phileas Fogg tinha permanecido frio. Não tinha certamente apostado para ganhar, e só arriscava as vinte mil libras – metade da sua fortuna porque previa que poderia ter que gastar a outra metade na realização deste difícil, para não dizer inexecutável, projeto. Quanto aos seus adversários, eles, pareciam comovidos, não por causa da quantia em jogo, mas porque tinham certo escrúpulo de lutar em tais condições.

Soaram sete horas. Sugeriram a Sr. Fogg suspender o whist, para que ele pudesse fazer os seus preparativos de partida.

– Estou sempre preparado! – respondeu o impassível cavalheiro, dando as cartas. É sua vez de jogar, senhor Stuart.

Capítulo 4

Phileas Fogg surpreende Passepartout

Às 7h25, Phileas Fogg, após ganhar vinte guinéus no whist, despediu-se dos seus nobres colegas, e deixou o Reform Club. Às 7h30, abria a porta de sua casa e voltava ao lar.

Passepartout, que tinha estudado cuidadosamente a sua programação, ficou surpreso vendo Sr. Fogg, flagrado em inexatidão, aparecer a esta hora insólita. Segundo o cartaz, o morador de Saville Row não deveria recolher-se senão à meia noite em ponto.

Phileas Fogg assim que chegou subiu ao seu quarto, depois chamou:

– Passepartout.

Passepartout não respondeu. Este chamamento não poderia ser dirigido a ele. Não era ainda a hora.

– Passepartout! – repetiu Sr. Fogg sem elevar em nada a voz.

Passepartout apareceu.

– É a segunda vez que o chamo, disse Sr. Fogg.

– Mas não é meia-noite, respondeu Passepartout, com seu relógio na mão.

– Eu sei, retomou Phileas Fogg, e não o recrimino. Partimos em dez minutos para Dover e Calais.

O rosto redondo do francês esboçou uma careta. Era evidente que tinha ouvido mal.

– O senhor vai viajar? – perguntou ele.

– Sim, respondeu Phileas Fogg. Vamos fazer a volta ao mundo.

Passepartout tinha o olho desproporcionalmente aberto, a pálpebra e a sobrancelha levantadas, os braços relaxados, o corpo caído, então apresentava todos os sintomas de espanto levados ao estupor.

– A volta ao mundo! – murmurou ele.

– Em oitenta dias, respondeu Sr. Fogg. Por isso, não temos um instante a perder.

– Mas... e as malas? – perguntou Passepartout, que balançava sua cabeça para a direita e para a esquerda.

– Nada de malas. Uma sacola de viagem só. Dentro, duas camisas de lã, três pares de meias. O mesmo para você. Faremos compras pelo caminho. Traga para baixo meu sobretudo e minha manta de viagem. Vá com bons calçados. Pode ser que vamos andar muito ou nada. Vá!

Passepartout queria responder. Não conseguiu. Saiu do quarto de Sr. Fogg, subiu ao seu, tombou sobre uma cadeira e disse:

– E eu que queria descansar tranquilo...

Automaticamente, fez seus preparativos de partida. A volta ao mundo em oitenta dias! Estaria lidando com um doido? Seria uma piada? Iriam até Dover, tudo bem. A Calais, que seja. Afinal, isto não poderia desgostar o bravo rapaz, que, há cinco anos, não pisava o solo pátrio. Talvez fossem até Paris, e, por certo, reveria com prazer a grande capital. Mas, certamente, um cavalheiro tão zeloso em seus passos pararia por ali... sim, sem dúvida, mas não era menos verdade que o cavalheiro, até então tão caseiro, partia.

Às oito horas, Passepartout tinha preparado a modesta sacola que continha seu guarda-roupa e o de seu chefe. Depois, com o espírito ainda perturbado, deixou seu quarto, fechou a porta cuidadosamente, e encontrou Sr. Fogg.

Sr. Fogg estava pronto. Levava sob o braço o Guia Ferroviário Continental Bradshaw, que deveria conter todas as informações necessárias. Tomou a sacola das mãos de Passepartout, abriu-a, e deixou cair dentro um belo maço de dinheiro.

– Não se esqueceu de nada? – perguntou ele.

– De nada, senhor.

– Pegou o meu sobretudo e a manta?

– Estão aqui.

– Bem, pegue a sacola.

Sr. Fogg entregou a sacola a Passepartout.

– Cuidado com ela, acrescentou Sr. Fogg. Tem vinte mil libras aí dentro

A sacola quase caiu das mãos de Passepartout, como se as vinte mil libras fossem de ouro e pesassem demais.

Os dois desceram, e a porta da rua foi trancada com duas voltas na chave.

No fim da Saville Row havia um ponto de carruagens. Phileas Fogg e seu criado subiram em um veículo que se dirigiu rapidamente para a estação de Charing Cross, onde havia uma conexão da Estrada de Ferro do Sudeste. Às oito e vinte, a carruagem parava diante da estação. Passepartout desceu. Seu patrão o seguiu e pagou a corrida.

Uma pobre mendiga, levando uma criança pela mão, pés nus na lama, um chapéu velho e puído, de onde pendia uma deplorável pluma, com um xale esfarrapado sobre os andrajos, aproximou-se de Sr. Fogg e pediu esmola. Sr. Fogg tirou de seu bolso os vinte guinéus que tinha ganho no whist e deu para ela:

– Tome lá, boa mulher, estou contente por tê-la encontrado!

Passepartout teve uma sensação de umidade em volta dos olhos. O chefe acabara de conquistar seu coração.

Sr. Fogg e ele entraram em seguida no grande salão da estação. Lá, Phileas Fogg deu a Passepartout ordem para comprar dois bilhetes de primeira classe para Paris. Deu de cara com os seus cinco colegas do Reform Club.

– Senhores, os diversos vistos carimbados num passaporte que levo para este fim permitirão, na volta, controlar meu roteiro.

– Oh, Sr. Fogg, respondeu polidamente Gauthier Ralph, não é preciso. Confiamos em sua honra de cavalheiro!

– É melhor assim, disse Sr. Fogg.

– Não se esqueça de que deve voltar! – observou Andrew Stuart.

– Em oitenta dias, respondeu Sr. Fogg, sábado 21 de dezembro de 1872, às oito e quarenta e cinco da noite. Até a volta, meus senhores.

Às oito e quarenta, Phileas Fogg e seu criado tomaram lugar no mesmo compartimento. Às oito e quarenta e cinco, soou um apito e o trem saiu.

A noite estava negra. Caía uma chuva fininha. Phileas Fogg recostado no seu canto não dizia palavra. Passepartout, ainda estonteado, apertava mecanicamente contra si a sacola cheia de dinheiro.

O trem nem ultrapassara Sydenham, quando Passepartout soltou um grito de desespero!

– O que é que há? – perguntou Sr. Fogg.

– É que... que... na minha precipitação... minha perturbação... esqueci...

– De quê?

– De apagar o bico de gás do meu quarto.

– Tudo bem, meu rapaz, respondeu friamente Sr. Fogg, fica queimando gás por sua conta.

Capítulo 5

Um novo valor aparece na praça de Londres

Phileas Fogg, ao deixar Londres, sem dúvida mal suspeitou do grande impacto que sua partida iria causar. A notícia da aposta espalhou-se a princípio no Reform Club, e produziu uma verdadeira comoção entre os membros do respeitável círculo. A comoção passou para os jornais e dos jornais ao público de Londres e de todo o Reino Unido.

O assunto da volta ao mundo foi comentado, discutido e dissecado, com tanta paixão e ardor como se se tratasse de uma nova questão do Alabama. Uns tomaram o partido de Phileas Fogg, outros se manifestaram contra ele. Esta volta ao mundo a ser realizada, não em teoria e sobre o papel, neste mínimo de tempo, com os meios de comunicação atualmente em uso, não era apenas impossível, era insensato!

O *Times*, o *Standard*, o *Evening Star*, o *Morning Chronicle*, e vinte outros jornais de grande circulação, declararam-se contra Sr. Fogg. Só, o *Daily Telegraph* o apoiou em certa medida. Phileas Fogg foi geralmente tratado como maníaco, louco, e seus colegas do Reform Club foram criticados por aceitarem a aposta, que denunciava um enfraquecimento nas faculdades mentais de seu autor.

Artigos extremamente apaixonados e sensatos apareceram sobre o assunto. É conhecido o interesse que se dá na Inglaterra a tudo que se liga à geografia. Assim não havia sequer um leitor, não importa de que classe, que não devorasse as colunas dedicadas ao caso Phileas Fogg.

Nos primeiros dias, alguns espíritos audaciosos – as mulheres principalmente – estiveram a seu favor, ainda mais depois do Illustrated London News ter publicado o seu retrato copiado da fotografia que tinha nos arquivos do Reform Club. Certos homens ousavam dizer: "Ora! Ora! Afinal, por que não? Têm-se visto coisas mais extraordinárias!" Eram principalmente os leitores do Daily Telegraph. Mas se percebeu logo que o próprio jornal começava a fraquejar.

Uma longa matéria apareceu em 7 de outubro no Boletim da Sociedade Real de Geografia. Abordou a questão sob todos os pontos de vista, e demonstrou claramente a loucura da empreitada. Segundo o artigo, tudo estava contra o viajante, obstáculos humanos, obstáculos naturais. Seria preciso uma sincronia miraculosa de horas de partida e de chegada, sincronia que não existiria, que não poderia existir. A rigor, e na Europa, trecho relativamente medíocre do percurso total, pode-se contar com a chegada dos trens à hora certa. Quando eles gastam três dias para atravessar a Índia e sete dias para atravessar os Estados Unidos, poderia confiar em tal exatidão? E os acidentes mecânicos, os descarrilamentos, as colisões, o mau tempo, a acumulação de neve, tudo isto não estava contra Phileas Fogg? Nos navios não se encontraria ele, durante o inverno, à mercê dos pés de vento ou dos nevoeiros? Seria por acaso tão raro os navios mais velozes das linhas transoceânicas sofrerem atrasos de dois ou três dias? Ora, bastaria um atraso, um só, para que a cadeia de comunicações fosse irreparavelmente truncada. Se Phileas Fogg perdesse, nem que fosse por poucas horas, a partida de um navio, seria forçado a esperar o seguinte, e assim sua viagem estaria comprometida.

O texto teve muita repercussão. Quase todos os jornais o divulgaram, e as apostas em Phileas Fogg caíram.

Durante os primeiros dias que se seguiram à partida do cavalheiro, importantes negócios se tinham ligado ao perigo dessa viagem. O mundo dos apostadores ingleses é um mundo mais inteligente, mais esclarecido que o dos jogadores. Apostar está no temperamento inglês. Assim, não só os diversos membros do Reform Club fizeram apostas consideráveis a favor ou contra Phileas Fogg, mas o público em geral entrou no movimento. Phileas Fogg foi inscrito, como um cavalo de corrida, numa espécie de *studbook*. Fizeram dele também uma ação de bolsa, que foi imediatamente cotada na bolsa de Londres. Procurava-se, oferecia-se Phileas Fogg a preço fixo ou com ágio, e fizeram negócios colossais. Mas cinco dias após sua partida, depois do artigo do Boletim da

Sociedade de Geografia, as ofertas começaram a fluir. Phileas Fogg baixou. Ofereceram-na em lotes. Comprada a princípio por cinco, depois por dez, não a compravam afinal senão por vinte, por cinquenta, por cem!

Restou só um apostador: um velhinho deficiente chamado lord Albermale. Esse digno cavalheiro, pregado na sua poltrona, teria dado a fortuna para fazer a volta ao mundo, mesmo em dez anos! Apostou cinco mil libras em Phileas Fogg. E quando lhe demonstravam a insensatez e a inutilidade do projeto, respondia:

– Se algo pode ser feito, é melhor que seja um inglês o primeiro a fazer!

Os torcedores por Phileas Fogg ficavam cada vez mais raros. A maioria, e com toda a razão, estava contra ele. Já não aceitavam apostas senão a 150 ou 200 contra um, quando, sete dias após sua partida, um incidente, completamente inesperado, fez com que ninguém mais o levasse a sério.

Neste dia, por volta das nove da noite, o diretor da polícia metropolitana havia recebido um despacho telegráfico que dizia:

Suez para Londres
Rowan, Comissário de Polícia, Administração Central, Scotland Yard
Sigo ladrão de Banco Phileas Fogg.
Enviem imediatamente mandado de prisão para Bombaim (Índia inglesa).
Fix, detetive.

O efeito deste despacho foi imediato. O respeitável cavalheiro desapareceu para dar lugar ao ladrão de banco. Sua fotografia, arquivada no Reform Club com as de todos os seus colegas, foi examinada. Ela reproduzia traço por traço o homem cuja descrição tinha sido fornecida pelo inquérito. Lembraram-se do que a existência de Phileas Fogg tinha de misterioso, seu isolamento, sua partida súbita, e pareceu evidente que este personagem, pretextando uma viagem de volta ao mundo e apoiando-a numa aposta insensata, tinha tido por fim único a despistar os agentes da polícia inglesa.

Capítulo 6

Agente Fix demonstra legítima impaciência

Aqui estão as circunstâncias em que tinha sido enviada a mensagem sobre Phileas Fogg.

O navio Mongólia, da companhia peninsular oriental, um vapor de ferro a hélice e com força de deslocamento de 2.800 toneladas e com uma força nominal de quinhentos cavalos era esperado para quarta-feira dia 9 de outubro, por volta de onze horas da manhã em Suez. O Mongólia fazia regularmente as viagens de Bríndisi a Bombaim pelo canal. Era um dos barcos mais velozes da companhia, e as velocidades regulamentares, ou seja, dez milhas por hora de Bríndisi a Suez, e nove milhas e cinquenta e três centésimos de Suez a Bombaim, ele sempre as tinha ultrapassado.

Esperando a chegada do Mongólia, dois homens passeavam sobre o cais no meio da multidão de nativos e estrangeiros que afluem a esta cidade, outrora uma aldeia, à qual a grande obra do senhor de Lesseps assegura um porvir considerável. Um dos dois homens era o agente consular do Reino Unido, estabelecido em Suez, o outro era um homenzinho magro, de aspecto bastante inteligente, nervoso, que contraía com uma persistência notável os músculos faciais. Através de seus longos cílios brilhava um olho muito vivo, mas cujo ardor sabia extinguir quando queria. Neste momento, dava alguns sinais de impaciência, indo e vindo, sem conseguir ficar parado.

O nome do homem era Fix, e era um desses detetives ou agentes da polícia inglesa, que tinham sido enviados para os diversos portos, depois do roubo ao banco da Inglaterra. Fix deveria vigiar com o maior cuidado todos os viajantes que tomassem a rota de Suez, e se algum lhe parecesse suspeito, segui-lo à espera de um mandado de detenção.

Há dois dias, Fix havia recebido do comissário da polícia metropolitana a descrição do provável autor do roubo. Era a do personagem distinto e bem trajado que tinha sido visto na sala de pagamentos do banco.

O detetive, muito estimulado evidentemente pela polpuda gratificação prometida em caso de sucesso, esperava por isso com uma impaciência fácil de se compreender a chegada do Mongólia. Perguntou pela décima vez:

– E o senhor diz, senhor cônsul, que este navio não pode tardar?

– Não, Sr. Fix, ele foi avistado ontem ao largo de Port Said, e os cento e sessenta quilômetros do canal não significam nada para ele. Repito que o Mongólia sempre ganhou a gratificação de vinte e cinco libras que o governo dá para cada avanço de 24 horas sobre o tempo regulamentar. – explicou o cônsul.

– Esse navio vem diretamente de Bríndisi? – quis saber Fix.

– De Bríndisi mesmo, onde pegou o malote das Índias, de Bríndisi que deixou sábado às cinco da tarde. Por isso tenha paciência, ele não tarda a chegar. Mas não sei realmente como, com a descrição que recebeu, poderá reconhecer seu homem, se é que ele está a bordo do Mongólia.

– Senhor cônsul, esse tipo de gente, a gente mais sente do que reconhece. Faro é o que é preciso ter, e o faro é como um sentido especial para o qual concorrem o ouvido, a vista e o olfato. Já prendi em minha vida mais de um desses cavalheiros, e contanto que o meu ladrão esteja a bordo, asseguro-lhe que não me escapará das mãos.

– Assim o desejo, senhor Fix, porque se trata de um roubo importante.

– Um roubo magnífico, 150 mil libras! Não temos com frequência tal sorte grande! Os ladrões tornam-se mesquinhos! Deixa-se prender atualmente por qualquer xelim! – respondeu o agente entusiasmado.

– Senhor Fix, fala de tal maneira que lhe desejo sinceramente sucesso. Mas, repito, nas condições em que está, creio que não seja difícil que ele escape. Bem sabe que, pela descrição que recebeu, este ladrão se revela um homem totalmente honesto.

O inspetor de polícia explicou didaticamente:

– Senhor cônsul, os grandes ladrões sempre se parecem gente de bem. Os que têm cara de tratante só têm um caminho a seguir: permanecer honestos, pois do contrário acabariam presos. Os de cara honesta são os que precisam ser desmascarados. Trabalho difícil, concordo, e que não é mais profissão, é arte.

Enquanto isso, o cais ficou movimentado. Marinheiros de diversas nacionalidades, comerciantes, corretores, carregadores e felás afluíam para aí. Evidenciava a chegada do navio.

O tempo estava bem bonito, mas soprava um ar frio, trazido pelo vento do leste. Alguns minaretes se avistavam por sobre a cidade sob os pálidos raios do sol. Para o sul, um molhe de dois mil metros de comprimento estendia-se como um braço sobre o ancoradouro de Suez. À superfície do Mar Vermelho deslizavam diversos barcos de pesca ou de cabotagem, alguns dos quais conservaram o aspecto elegante gabarito da galera antiga.

Sempre circulando nesse meio, Fix, por um hábito da profissão, encarava os transeuntes com uma olhada rápida. Eram então duas e meia.

– Mas não chega nunca, este navio! – exclamou ao ouvir soar o relógio do porto.

– Não pode estar longe, respondeu o cônsul.

– Por quanto tempo ele ficará em Suez? – perguntou Fix.

– Quatro horas. O tempo de embarcar seu carvão. De Suez a Aden, na extremidade do Mar Vermelho, são trezentas e dez milhas, e é preciso fazer provisão de combustível.

– E de Suez esse barco vai diretamente a Bombaim? – perguntou Fix.

– Diretamente, sem parada.

– Ora bem, disse Fix, se o ladrão tomou esta rota e este navio, deve estar nos seus planos desembarcar em Suez, para alcançar por uma outra via as possessões holandesas ou francesas da Ásia. Deve saber muito bem que não estaria em segurança na Índia, que é uma terra inglesa.

– A menos que seja um homem muito esperto, respondeu o cônsul. Bem sabe, um criminoso inglês está sempre melhor escondido em Londres do que no estrangeiro.

Após esta colocação, que deu muito o que pensar ao agente, o cônsul voltou ao seu gabinete, situado a pouca distância. O inspetor de polícia ficou só, tomado por uma impaciência nervosa, com o pressentimento bastante bizarro de que o seu ladrão deveria estar a bordo do Mongólia. Imaginava que o velhaco tinha saído da Inglaterra com a intenção de chegar ao Novo Mundo pela rota das Índias, menos vigiada ou mais difícil de vigiar que a do Atlântico.

Fix não teve muito tempo para ficar entregue a suas conjecturas. Apitos agudos anunciaram a chegada do navio. Toda a horda dos carregadores e dos felás se precipitou para o cais em um tumulto um pouco inquietante para os membros e as roupas dos passageiros. Uma dezena de canoas deslocou-se do rio e se dirigiu para frente do Mongólia.

Logo surgiu o casco gigantesco do Mongólia e passou entre as margens do canal. Eram onze horas quando o navio ancorou, enquanto expelia o seu vapor com grande barulho pelos tubos de escapamento. Eram muitos os passageiros a bordo e a maioria desembarcou nas canoas que se encostaram à embarcação.

O inspetor examinava atentamente todos os que punham os pés na terra. Um deles aproximou-se dele, depois de ter vigorosamente repelido os felás que o abordavam com suas ofertas de serviço, e perguntou-lhe muito polidamente se ele poderia indicar o escritório do agente consular inglês. Este passageiro apresentava um passaporte em que desejava sem dúvida aplicar visto britânico.

Instintivamente, o detetive pegou o passaporte e, com um rápido golpe de vista, o examinou. Por pouco não fez um movimento involuntário. O papel tremeu-lhe na mão. A descrição no passaporte era idêntica à que recebera do comissário da polícia metropolitana.

– Este passaporte não é o seu? – disse ele ao passageiro.

– Não, é o passaporte do meu patrão.

– E seu patrão?

– Ficou no navio.

– É preciso que ele se apresente pessoalmente ao gabinete do consulado para comprovar sua identidade.

– Isso é necessário?

– Indispensável.

E onde fica este escritório?

– Lá, no canto da praça! – respondeu o inspetor, apontando para uma casa a duzentos passos dali.

– Meu patrão, que por certo não vai gostar nada deste incômodo.

Lá no alto, o passageiro cumprimentou Fix e voltou para bordo do vapor.

Capítulo 7

Função dos passaportes em caso policial

O agente policial tornou a descer ao cais e dirigiu-se rapidamente para o gabinete do cônsul:

– Senhor cônsul, tenho boas razões para acreditar que o nosso homem está no Mongólia.

E Fix contou o que se passara entre o criado e ele a propósito do passaporte.

– Bem, Sr. Fix, respondeu o cônsul, não me incomoda ver a cara deste pilantra. Mas talvez não se apresente em meu gabinete, se é quem supõe ser. Um ladrão não gosta de deixar vestígios da sua passagem, e depois, a formalidade dos passaportes não é mais obrigatória.

– Senhor cônsul, respondeu o agente, se for um homem esperto como é de se imaginar, virá.

– Apresentar seu passaporte?

– Sim. Os passaportes só servem para estorvar as pessoas de bem e para facilitar a fuga dos vigaristas. Afirmo-lhe que o dele estará em ordem, mas o senhor não deve dar o visto...

– E por que não? Se o passaporte estiver em ordem, não tenho direito de recusar meu visto.

– Entretanto, senhor cônsul, é preciso que eu retenha aqui este homem até receber de Londres um mandado de prisão.

– Ah! Isso, senhor Fix, é assunto seu, mas eu, eu não posso...

O cônsul não concluiu a frase. Neste momento batiam à porta de seu gabinete, e o secretário introduziu dois estrangeiros, um dos quais era precisamente o criado que falara com o detetive.

Eram o patrão e o criado. O patrão apresentou o seu passaporte, pedindo laconicamente ao cônsul que desse o visto. Este pegou o passaporte e o leu atentamente, enquanto Fix, num canto do gabinete, observava, ou melhor, devorava o estrangeiro com os olhos. Quando o cônsul acabou sua leitura, perguntou:

– É Phileas Fogg?

– Sim, senhor! – respondeu o cavalheiro.

– E este homem é seu criado?

–- Sim, um francês chamado Passepartout.

– Vêm de Londres?

– Sim.

– E para onde vão?

– Para Bombaim.

– Sabe que esta formalidade do visto é inútil, e que já não exigimos a apresentação do passaporte?

– Sei, senhor, respondeu Phileas Fogg, mas desejo comprovar com a seu visto minha passagem por Suez.

– Que seja, senhor.

E o cônsul assinou e carimbou o passaporte, com a data. Sr. Fogg pagou a taxas do visto. Depois de cumprimentar friamente, saiu seguido por seu criado.

– Então? – perguntou o inspetor.

– Tem cara de um homem totalmente honesto! – respondeu o cônsul.

– É possível, respondeu Fix, mas não é disso que se trata. Não acha, senhor cônsul, que esse cavalheiro impassível é a cara do homem de quem recebi a descrição?

– Concordo, mas bem sabe, todas as descrições...

– Vou considerar o que me diz, e o criado parece menos indecifrável que o patrão. Demais, é um francês, não deixará de falar. Até mais, senhor cônsul.

Dito isto, o agente saiu e se pôs à procura de Passepartout.

Enquanto isso, Sr. Fogg, saindo da casa consular, tinha se dirigido para o cais. Lá, deu algumas ordens ao seu criado. Mais tarde, embarcou numa canoa e voltou para o Mongólia e entrou em seu camarote. Pegou então a agenda, que tinha as seguintes anotações:

"Saída de Londres, quarta-feira 2 de outubro, 8 e 45 minutos da noite. Chegada a Paris, quinta-feira 3 de outubro, 8 e 40 minutos da manhã.

Chegada a Turim pelo Monte Cenis, sexta-feira 4 de outubro, 6 e 35 minutos da manhã.

Saída de Turim, sexta-feira, 7 e 20 minutos da manhã. Chegada a Bríndisi, sábado 5 de outubro, 4 da tarde. "Embarque no Mongólia, sábado, 5 da tarde.

Chegada a Suez, quarta-feira 9 de outubro, 11 da manhã. Total das horas gastas até aqui: 158 1/2, em dias: 6 dias e 1/2."

Sr. Fogg anotou estas datas sobre um roteiro disposto em colunas, que indicava de 2 de outubro a 21 de dezembro: o mês, o dia, as chegadas previstas e as chegadas efetivas a cada ponto principal, Paris, Bríndisi, Suez, Bombaim, Calcutá, Cingapura, Hong Kong, Yokohama, São Francisco, Nova York, Liverpool, Londres, e que lhe permitia calcular o ganho obtido ou a perda sofrida em cada trecho do percurso.

O roteiro metódico registra tudo, e Sr. Fogg ficaria sempre sabendo se estava adiantado ou atrasado. Naquele dia, quarta-feira, 2 de outubro, anotou a sua chegada a Suez. Estava de acordo com o previsto, não constituía para ele nem ganho nem perda. Em seguida, pediu que lhe servissem o almoço na cabina. Quanto a ver a cidade, nem sequer pensava nisso. Era do tipo de inglês que prefere encarregar um criado a visitar os países que atravessa.

Capítulo 8

Passepartout acaba falando mais do que deveria

Fix voltou logo e havia se reencontrado no cais com Passepartout, que perambulava e observava, sem obrigação de ver algo. Fix perguntou:

– E então, meu amigo, o seu passaporte está visado?

– Ah! Muito obrigado. Estamos perfeitamente em ordem.

– E você observa o país?

– Sim, mas vamos tão depressa que parece que viajo em sonho. E aí, estamos mesmo em Suez?

– Em Suez.

– No Egito?

– No Egito, perfeitamente.

– Na África?

– Na África.

– Na África! Não posso acreditar. Imagine, senhor, que pensava não passar de Paris. E revi a cidade exatamente das sete e vinte da manhã às oito e quarenta, entre a estação do Norte e a estação de Lyon, através dos vidros de uma carruagem e de uma chuva torrencial. Que pena! – comentou Passepartout.

– Teria adorado rever o Pére-Lachaise e o Cirque des Champs Élysées!

– Estão muito apressados? – perguntou o inspetor de polícia...

– Eu, não, mas meu patrão. A propósito, preciso comprar roupa de baixo e camisas! Partimos sem malas, com uma sacola de viagem apenas.

– Eu vou levar você a um lugar onde achará tudo que precisa.

– Senhor, respondeu Passepartout, é muito gentil!

E ambos se puseram a caminho. Passepartout falava o tempo todo e disse:

– Preciso prestar atenção para não perder o barco.

– Tem tempo, respondeu Fix, ainda não é meio-dia.

Passepartout puxou seu grande relógio:

– Meio-dia, que nada! São nove e cinquenta e dois!

– Seu relógio está atrasado, respondeu Fix.

– Meu relógio! Um relógio de família que veio do meu bisavô! Não altera cinco minutos por ano! É um verdadeiro cronômetro!

– Já entendi o que aconteceu, respondeu Fix. Olhou a hora de Londres, que está quase duas horas atrasada em relação à de Suez. Tem de acertar seu relógio pela hora local de cada país.

– Eu mexer no meu relógio? Jamais! – exclamou.

– Então ele não estará mais de acordo com o Sol.

– Tanto pior para o Sol, senhor! Ele é que estará errado!

E o valente moço tornou a enfiar o relógio no bolso do colete com um gesto desafiador. Alguns instantes depois, Fix lhe dizia:

– Então deixaram Londres com pressa?

– Creio que sim! Quarta-feira passada, às oito da noite, contra todos os seus hábitos, Sr. Fogg voltou do seu clube, e três quartos de hora depois tínhamos partido.

– Mas para onde vai o seu patrão?

– Sempre em frente! Ele faz a volta ao mundo!

– A volta ao mundo? – exclamou Fix.

– Sim, em oitenta dias! Uma aposta, diz ele, mas cá entre nós, não acredito. Seria não ter senso com um. Há alguma coisa a mais.

– Ah, é um excêntrico, este Sr. Fogg?

– Creio que sim.

– É rico então?

– Evidentemente, e carrega uma bela soma com ele, em cédulas novinhas em folha! E não poupa dinheiro pelo caminho! Veja! Prometeu uma gratificação vultosa ao maquinista do Mongólia, se chegarmos adiantados a Bombaim!

– E faz tempo que conhece seu patrão?

– Eu?! – respondeu Passepartout – Eu comecei a trabalhar para ele no mesmo dia de nossa partida.

Imagine o efeito que estas respostas produziram na mente acelerada do inspetor de polícia.

A partida precipitada de Londres, pouco tempo após o roubo, a grande quantia que levava, a pressa em chegar a países longínquos, o pretexto de uma aposta excêntrica, tudo confirmava as suspeitas de Fix. Fez o francês falar ainda mais e teve a certeza de que o moço não conhecia nada do seu patrão, que este vivia isolado em Londres, que o consideravam rico, sem que se soubesse a origem da sua fortuna, que era um homem impenetrável, etc. Mas, ao mesmo tempo, Fix pôde ter por certo que Phileas Fogg não desembarcaria em Suez, e que iria realmente para Bombaim.

– Bombaim é longe? – perguntou Passepartout.

– Bem longe, respondeu o agente. Vai precisar passar ainda uns dez dias no mar.

– E onde fica Bombaim?

– Na Índia.

– Na Ásia?

– Naturalmente.

– Diabos! É que eu ia lhe dizer... Há uma coisa que me intriga... é meu bico!

– Que bico?

– O meu bico de gás, que esqueci de apagar e que está aceso por minha conta. Ora, calculei que me custa dois xelins a cada vinte e quatro horas, exatamente sete pences a mais do que eu ganho, e bem deve compreender que por pouco que a viagem se prolongue...

Teria Fix compreendido a história do gás? É pouco provável. Ele já não escutava e tom ara uma decisão. O francês e ele tinham chegado ao bazar. Fix deixou seu companheiro fazendo as compras, recomendou-lhe que não perdesse a partida do Mongólia, e voltou apressado para o consulado.

Agora que a sua suspeita parecia confirmada, recuperara todo o seu sangue frio. Disse ao cônsul:

– Senhor, já não tenho nenhuma dúvida. Tenho o meu homem. Ele se faz passar por um excêntrico que quer fazer a volta ao mundo em oitenta dias.

– Então é um espertalhão, respondeu o cônsul, e espera voltar a Londres, depois de ter despistado todas as polícias de dois continentes!

– Isso é que haveremos de ver, respondeu Fix.

– Será que não está enganado? – perguntou-lhe mais uma vez o cônsul.

– Não estou enganado.

– Então, por que é que esse ladrão teve interesse obter um visto de sua passagem por Suez?

– Por quê? Não sei não, senhor cônsul, respondeu o detetive, mas escute...

E, em poucas palavras, relatou os pontos principais da sua conversa com o criado do dito Fogg.

– Com efeito, disse o cônsul, todas as presunções são contra esse homem. E o que vai fazer?

– Enviar um telegrama para Londres com o pedido urgente de mandado de prisão para Bombaim, embarcar no Mongólia, vigiar o meu ladrão até as Índias, e ali, naquela terra inglesa, chegar a ele polidamente, meu mandado de prisão na mão e a mão sobre seu ombro...

Estas palavras pronunciadas friamente, o agente despediu-se do cônsul e dirigiu- se à agência telegráfica. Dali enviou ao diretor da polícia metropolitana o telegrama que já conhecemos.

Um quarto de hora depois, Fix, com a sua pequena bagagem na mão, munido de dinheiro, embarcava a bordo do Mongólia, e logo o rápido navio seguia a todo o vapor sobre as águas do Mar Vermelho.

Capítulo 9

O Mar Vermelho e o Mar das Índias ajudam Phileas Fogg

A distância entre Suez e Aden é exatamente de 310 milhas, e o regulamento da companhia concede aos seus navios um prazo de 138 horas para a percorrer. O Mongólia, que ia a todo vapor, iria antecipar a chegada regulamentar.

A maioria dos passageiros embarcados em Bríndisi tinha a Índia por destino. Uns se dirigiam a Bombaim, outros a Calcutá, mas via Bombaim, porque desde que uma linha férrea atravessa em toda a sua largura a península indiana, não é mais necessário dobrar a ponta de Ceilão.

Iam diversos funcionários civis e oficiais de todas as graduações. Uns pertenciam ao exército britânico propriamente dito, outros comandavam as tropas indianas dos sipaios, todos bem pagos, mesmo atualmente quando o governo assumira os direitos e os encargos da antiga

Passavam bem a bordo do Mongólia, nesta sociedade de funcionários, aos quais se misturavam alguns jovens ingleses, que, com o seu milhão no bolso, iam fundar ao longe estabelecimentos comerciais. Um homem de confiança da companhia organizava tudo em grande estilo. No café da manhã, no almoço, no lanche das cinco e meia, e no jantar das oito, as mesas vergavam sob os pratos de carne fresca e das iguarias. As passageiras – havia algumas – mudavam de trajes duas vezes por dia. Tocava-se música, dançava-se até, quando o mar o permitia.

Mas o mar Vermelho é muito caprichoso e frequentemente mau, como todos os golfos estreitos e compridos. Quando o vento soprava quer da costa da Ásia, quer da costa da África, o Mongólia, longa fuselagem a hélice, pego pelo vento nas laterais, balançava de um modo apavorante. As damas desapareciam; os pianos se calavam; cantos e danças cessavam ao mesmo tempo. Apesar do vendaval, apesar das ondas, o navio, impelido por sua máquina poderosa, corria célere em direção ao estreito de Bab-el-Mandeb.

E Phileas Fogg? Com que se ocupava durante este tempo? Poderiam julgar que, sempre inquieto e ansioso, se preocupava com as mudanças de vento prejudiciais ao percurso do navio, com o embate desordenado das ondas que poderiam ocasionar um acidente à máquina, enfim com todas as avarias possíveis que, obrigando *o* Mongólia a atracar em algum porto, comprometessem sua viagem? Que nada, ou pelo menos, se este cavalheiro pensava em tais eventualidades, nem deixava transparecer. Era sempre o homem impassível, o membro imperturbável do Reform Club, a quem nenhum incidente ou acidente poderia surpreender. Não parecia mais emocionado do que os cronômetros do navio. Era raramente visto sobre o convés. Não se importava a mínima em observar este mar Vermelho, tão fecundo em recordações, teatro das primeiras cenas históricas da humanidade. Não vinha reconhecer as curiosas cidades semeadas em suas bordas, e das quais a pitoresca silhueta se descortinava algumas vezes no horizonte. Nem sequer sonhava com os perigos deste golfo Arábico, do qual os antigos, Estrabão, Arrien, Artemídoro, Edrisi, sempre falaram com assombro, e no qual os navegadores não se aventuravam jamais em outros tempos sem antes ter consagrado sua viagem por sacrifícios propiciatórios.

Afinal, o que fazia esse excêntrico, aprisionado no Mongólia? Em primeiro lugar, fazia suas quatro refeições diárias, sem que nunca o balanço ou a arfagem pudessem desarranjar uma máquina tão maravilhosamente organizada. Depois jogava whist.

Isso mesmo! Ele tinha encontrado parceiros, tão ardorosos quanto ele: um coletor de impostos que se dirigia ao seu posto em Goa, um ministro, o reverendo Decimus Smith, que regressava a Bombaim, e um general de brigada do exército inglês, que retornava ao seu corpo em Benares. Eles tinham pelo whist a mesma paixão que Sr. Fogg, e jogavam por horas inteiras, não menos silenciosamente do que ele.

Quanto a Passepartout, o mal do mar não tinha nenhum efeito sobre ele. Ocupava uma cabina de frente e passava bem também. É preciso dizer que, decididamente, a viagem, feita em tais condições, não era ruim para ele. Tirava partido dela. Bem nutrido, bem alojado, via países e ademais afirmava a si próprio que toda esta fantasia acabaria em Bombaim. No dia seguinte ao da partida de Suez, 10 de outubro, não foi sem certo prazer que reencontrou sobre a coberta o obsequioso personagem a quem tinha se dirigido ao desembarcar no Egito.

– Não me engano, disse, abordando-o com seu mais amável sorriso, não foi o senhor, quem tão generosamente me serviu de guia em Suez?

– Realmente, respondeu o detetive, reconheço-o. É o criado daquele inglês excêntrico...

– Precisamente, senhor...

– Fix.

– Senhor Fix, respondeu Passepartout. Encantado em reencontrá-lo a bordo. E para onde vai?

– Bombaim.

– Ótimo! Já fez esta viagem antes?

– Várias vezes.

– Já conhece a Índia? E é interessante esta Índia?

– Bastante: minaretes, templos, faquires, pagodes, tigres, serpentes. Espero que tenha tempo para visitar o país!

– Espero que sim, senhor Fix. Não seria normal a um homem são de espírito passar a vida saltando de um navio para uma estrada de ferro, e de uma estrada de ferro para um navio, sob pretexto de fazer a volta ao mundo em oitenta dias! Não. Toda esta ginástica cessará em Bombaim, nem duvide disso.

– E o Sr. Fogg? Está bem?

– Muito bem, senhor Fix, muito bem. Eu também... como um ogro que tivesse jejuado. É o ar do mar.

– Nunca vejo seu patrão no convés.

– Jamais. Ele não é curioso.

– Sabe, Sr. Passepartout, essa viagem de oitenta dias pode ocultar uma missão secreta, uma missão diplomática, por exemplo...

– Palavra, senhor Fix, não sei de nada, juro, e, na verdade, não daria meia coroa para saber.

Desde este reencontro, Passepartout e Fix conversaram muitas vezes. O inspetor de polícia tinha interesse em ficar íntimo do criado do senhor Fogg. Poderia lhe ser útil. Por isso oferecia-lhe com frequência, no bar do Mongólia, alguns copos de uísque, que o bom moço aceitava sem cerimônia e que até retribuía para não ficar para trás. Ele simpatizava com Fix.

Enquanto isso o navio avançava rapidamente. No dia 13, avistaram Moka, que apareceu com seu cinturão de muralhas em ruínas, por sobre as quais se destacavam algumas tamareiras verdejantes. Ao longe, nas montanhas, estendiam-se vastos campos de cafezais. Passepartout ficou entusiasmado ao contemplar esta cidade célebre, e até achou que, com estes muros circulares e um forte desmantelado em formato de alça, parecia uma enorme xícara. Durante a noite seguinte, o Mongólia franqueou o estreito de Bab-el-Mandeb, cujo nome árabe significa Porta das Lágrimas. No dia seguinte, dia 14, fazia escala em Steamer Point, a noroeste da enseada de Aden. Era aí que ele deveria refazer suas provisões de combustível.

É um detalhe importante a alimentação da fornalha dos navios a tais distâncias dos centros de produção. Só para a companhia peninsular, é uma despesa anual que totaliza oitocentas mil libras. Foi preciso montar depósitos em diversos portos.

O Mongólia tinha ainda 650 milhas pela frente antes de chegar a Bombaim, e deveria demorar-se quatro horas em Steamer Point, para encher seus depósitos.

Mas esta demora não poderia de modo algum prejudicar o programa de Phileas Fogg. Estava prevista. Além disso, o Mongólia em vez de chegar a Aden dia 15 de outubro pela manhã, entrou ali dia 14 à noite. Era um ganho de quinze horas.

Fix está atento. Reprodução de ilustração do original "Around the World in Eighty Days", pintada por Alphonse de Neuville e/ou Léon Benett, em 1873.

Sr. Fogg e o seu criado desembarcaram. O cavalheiro queria dar visto em seu passaporte. Fix seguiu-o sem ser notado. Preenchida a formalidade do visto, Phileas Fogg voltou ao navio para recomeçar sua partida interrompida.

Passepartout passeou, segundo seu costume, por entre essa população de somalis, banianos, parsis, judeus, árabes, europeus, que compunham os vinte e cinco mil habitantes de Aden. Admirou as fortificações que fazem desta cidade o Gibraltar domar das Índias, e as magníficas cisternas nas quais ainda trabalhavam os engenheiros ingleses, dois mil anos depois dos engenheiros do rei Salomão.

Capítulo 10

Passepartout escapa, só perdendo os sapatos

Sabemos que a Índia tem uma superfície de um 1,4 milhão de milhas quadradas, sobre a qual se acha desigualmente distribuída uma população de 180 milhões de habitantes. O governo britânico exerce uma dominação real sobre certa parte deste imenso país. Mantém um governador geral em Calcutá, governadores em Madras, em Bombaim, em Bengala, e um vice-governador em Agra.

Mas a Índia inglesa propriamente dita tem 700.000 milhas quadradas e uma população de 100 a 110 milhões de habitantes. Uma importante parte do território escapa ainda da autoridade da rainha. Com efeito, junto a certos rajás do interior, ferozes e terríveis, a independência indiana é ainda absoluta.

Desde 1756 – época em que foi fundado o primeiro estabelecimento inglês no local hoje ocupado pela cidade de Madras – até o ano em que eclodiu a grande insurreição dos sipaios, a célebre Companhia das Índias foi muito poderosa. Anexou pouco a pouco as diversas províncias, compradas de rajás em troca de rendimentos que pagava mal, ou não pagava. Ainda nomeava o seu governador geral e todos os seus empregados civis ou militares. Mas ela não existe mais, e as possessões inglesas da Índia dependem diretamente da coroa.

Também a aparência, os costumes, as divisões etnográficas da península tendem a se modificar a cada dia. Antigamente viajava-se ali por todos os antigos meios de transporte, a pé, a cavalo, de charrete, em palanquim, às costas de homens, de carruagem, etc. Atualmente, barcos a vapor percorrem a grande velocidade o Indo, o Ganges, e uma estrada de ferro, que atravessa a Índia em toda a sua extensão ramificando-se em seu trajeto, põe Bombaim a três dias apenas de Calcutá.

A rota dessa estrada de ferro não segue a linha reta através da Índia. A distância à voo de pássaro é de somente 1.000 a 1.100 milhas, e trens, animados de velocidade apenas média, não gastariam três dias para percorrê-la. Esta extensão é aumentada num terço pelo menos, com a corda que a via férrea descreve subindo até Alaabad, no norte da península.

Partindo da ilha de Bombaim, a Great Indian peninsular railway atravessa Salcette, salta sobre o continente em frente de Tannah, franqueia a cadeia dos Gates Ocidentais, corta para nordeste até Burham, serpenteia o território quase independente do Bundelkund, eleva-se até Alaabad, desvia-se para leste, reencontra o Ganges em Benares, afasta-se ligeiramente dele, e, tornando a descer para o sudeste por Burdivan e pela cidade francesa de Chanderganor, estabelece seu ponto inicial em Calcutá.

Os passageiros do Mongólia tinham desembarcado em Bombaim às quatro e meia da tarde, e o trem de Calcutá partiria às oito em ponto. Sr. Fogg despediu-se, portanto, dos seus parceiros, deixou o navio, deu a seu criado a relação de algumas compras a fazer, recomendou-lhe expressamente que estivesse antes das oito na estação, e, com o seu passo regular que marcava os segundos como o pêndulo de um relógio astronômico, dirigiu-se para a repartição dos passaportes.

Desse modo, nem sonhava ver coisa das maravilhas de Bombaim, nem o hotel da cidade, nem a magnífica biblioteca, nem os fortes, nem as docas, nem o mercado de algodão, nem os bazares, nem as mesquitas, nem as sinagogas, nem as igrejas armênias, nem o esplêndido pagode de Malebar Hill, ornado com duas torres polígonas. Não contemplaria nem as obras-primas de Elephanta, nem seus misteriosos hipogeus, ocultos a sudeste da enseada, nem as grutas Kanherian da ilha Salcette, esses admiráveis restos da arquitetura budista!

Saindo da repartição dos passaportes, Phileas Fogg dirigiu-se tranquilamente para a estação, e aí fez-se servir o jantar. Entre outros manjares, o maître entendeu que lhe deveria recomendar *gibelotte* de coelho da selva, de que disse maravilhas.

Phileas Fogg aceitou o *gibelotte* e degustou conscienciosamente. Mesmo com seu molho muito forte, achou detestável. Chamou o maître do hotel:

– Isto é um coelho?

– Sim, meu senhor, respondeu descaradamente o velhaco, coelho da selva.

– E esse coelho não miou quando foi morto?

– Miar! Oh, meu senhor! Um coelho! Juro-lhe...

– Senhor maître, replicou friamente Sr. Fogg, não jure e lembre-se disso: outrora, na Índia, os gatos eram considerados animais sagrados. Eram bons tempos.

– Para os gatos, meu senhor?

– Talvez para os turistas.

Após esta observação Sr. Fogg continuou tranquilamente a jantar.

Alguns instantes depois de Sr. Fogg, o agente Fix havia desembarcado também do Mongólia e correu à casa do chefe de polícia de Bombaim. Deu a conhecer a sua qualidade de detetive, a missão de que estava encarregado, sua opinião a respeito do suposto autor do roubo. Tinham recebido de Londres um mandado de prisão? Não tinham recebido nada. E, com efeito, o mandado, que partira depois de Fogg, não poderia ter chegado ainda.

Fix ficou muito desanimado. Quis obter do chefe de polícia uma ordem de detenção contra o senhor Fogg. O chefe recusou. O negócio dizia respeito à administração metropolitana, e só ela poderia legalmente expedir um mandado. Esta severidade de princípios, esta observância rigorosa da legalidade é perfeitamente explicável pelos costumes ingleses, que, em matéria de liberdade individual, não admitem nada arbitrário.

Fix não insistiu e compreendeu que deveria resignar-se a esperar o mandado. Mas resolveu não perder de vista o seu impenetrável tratante, durante todo o tempo que este permanecesse em Bombaim. Não duvidava de que Phileas Fogg aí não se demoraria e, como se sabe, era esta também a convicção de Passepartout – o que daria ao mandado de prisão o tempo de chegar.

Mas desde as últimas ordens que o patrão lhe tinha dado ao desembarcar do Mongólia, Passepartout tinha compreendido que haveria de acontecer em Bombaim o mesmo que acontecera em Suez e Paris, que a viagem não terminaria aqui, que continuaria pelo menos até Calcutá e talvez mais longe. E começou a se perguntar se esta aposta de Sr. Fogg não seria absolutamente séria, e se a fatalidade não o iria conduzir, a ele que tanto desejava viver em repouso, a realizar a volta ao mundo em oitenta dias!

Esperando, e após ter feito a aquisição de algumas camisas e roupas de baixo, pôs-se a passear pelas ruas de Bombaim. Havia nelas grande afluxo popular, e, misturados a europeus de todas as nacionalidades, persas com bonés pontudos, bunhyas com turbantes redondos, sindes com gorros quadrados, armênios com longas vestes, parsis com mitra negra. Era precisamente uma festa celebrada por estes parsis ou guebros, descendentes diretos dos seguidores de Zoroastro, que são os mais astutos, os mais civilizados, os mais inteligentes, os mais austeros dos indianos, raça a que pertencem atualmente os ricos negociantes de Bombaim.

Naquele dia, celebravam uma espécie do carnaval religioso, com procissões e diversões, nas quais figuravam bailarinas vestidas com roupas rosas brocadas de ouro e prata, que, ao som das violas e ao barulho dos tantãs, dançavam maravilhosamente.

Passepartout contemplava estas curiosas cerimônias, que seus olhos e suas orelhas se abriam desmesuradamente para ver e ouvir, que sua aparência, sua fisionomia era a do jovem mais novinho que se possa imaginar.

Infelizmente para ele e para seu patrão, cuja viagem esteve a ponto de comprometer, sua curiosidade o levou mais longe do que seria conveniente. Com efeito, depois de ter entrevisto este carnaval, Passepartout dirigia-se para a estação, quando, passando em frente do admirável pagode de Malebar Hill teve a fatal ideia de visitar seu interior.

Ele ignorava duas coisas: primeira, que a entrada de certos pagodes hindus é formalmente proibida aos cristãos e, segunda, que até os próprios fiéis devem deixar seus calçados na entrada. É preciso destacar aqui que, por razões de boa política, o governo inglês, respeitando e fazendo respeitar até nos seus mais insignificantes detalhes a religião do país, pune severamente quem viole suas práticas.

Passepartout entrou, sem más intensões, como um simples turista, admirava no interior, a ornamentação bramânica, quando subitamente foi derrubado nas sagradas lajes. Três sacerdotes, o olhar cheio de furor, precipitaram -se sobre ele, arrancaram-lhe os sapatos e as meias, e começaram a enchê-lo de porradas, proferindo gritos selvagens.

O francês, vigoroso e ágil, ergueu-se rapidamente. Com um murro e um pontapé derrubou dois adversários, aliás muito atrapalhados com os seus trajes compridos, e, fugindo do pagode com toda a velocidade de suas pernas, bem depressa distanciou-se do terceiro hindu, que tinha saído em sua perseguição.

Às cinco para oito, alguns minutos apenas antes da partida do trem, sem chapéu, pés descalços, tendo perdido na briga o pacote contendo as compras, Passepartout chegou à estação da estrada de ferro.

Fix estava lá, sobre a plataforma de embarque. Tendo seguido o senhor Fogg até a estação, tinha compreendido que este tratante ia deixar Bombaim. No mesmo instante tomou a decisão de acompanhá-lo até Calcutá e até mais longe se preciso fosse. Passepartout não viu Fix, que se mantinha na sombra, mas Fix escutou o relato de suas aventuras, que Passepartout narrou em poucas palavras ao seu patrão.

– Não, fico, disse-se ele. Um delito cometido em território indiano... tenho o meu homem.

Neste momento a locomotiva lançou um vigoroso apito, e o trem desapareceu na noite.

Capítulo 11

Phileas Fogg compra elefante por um preço fabuloso

O trem tinha partido na hora regulamentar. Levava um certo número de viajantes, alguns oficiais, funcionários civis e negociantes de ópio e de índigo, cujo comércio os chamava para o lado oriental da península.

Passepartout ocupava o mesmo compartimento de seu patrão. Um terceiro viajante achava-se alojado no canto oposto.

Era o general de brigada Sir Francis Cromarty, um dos parceiros de Sr. Fogg durante a travessia de Suez a Bombaim, que retornava às suas tropas aquarteladas perto de Benares.

Sir Francis Cromarty, alto, loiro, com aproximadamente cinquenta anos, que tinha se distinguido bastante durante a última revolta dos sipaios, poderia merecer verdadeiramente a qualificação de nativo. Desde sua juventude residia na Índia e raras vezes aparecera no seu país natal. Era um homem instruído, que teria de bom grado dado lições sobre os costumes, a história e a organização do país indiano, se Phileas Fogg fosse de as pedir. Mas este cavalheiro não perguntava nada. Não viajava, descrevia uma circunferência. Era um corpo sólido, percorrendo uma órbita à volta do globo terrestre, seguindo as leis da mecânica racional. Neste momento, refazia em seu espírito o cálculo das horas gastas desde sua partida de Londres, e teria até esfregado as mãos, se estivesse na sua índole fazer um movimento inútil.

Sir Francis Cromarty havia notado a originalidade do seu companheiro de viagem, apesar de não o ter estudado senão com cartas na mão. Estava por isso bem propenso a se perguntar se batia um coração humano sob aquele frio invólucro, se Phileas Fogg tinha uma alma sensível às belezas da natureza, às aspirações morais. Para ele, isso era discutível. Entre todas as pessoas extravagantes que o militar encontrara, nenhuma se comparava a este produto das ciências exatas.

Phileas Fogg não ocultara de sir Francis Cromarty o seu projeto de viagem em volta ao mundo, nem em que condições o realizava. O general de brigada não viu nesta aposta senão uma excentricidade sem finalidade útil e à qual faltava necessariamente alguma motivação que deve guiar todo homem razoável. Pelo passo em que caminhava o bizarro cavalheiro, passaria evidentemente pela vida sem nada fazer, nem por si, nem pelos outros.

Uma hora depois de ter deixado Bombaim, o trem, transpondo os viadutos, havia atravessado a ilha Salcette e corria sobre o continente. Na estação de Callyan, deixou à direita o tronco que, por Kandallah e Pounah, desce para o sudeste da Índia, e chegou à estação de Pauwell. Neste ponto, embrenhou-se nas montanhas muito ramificadas dos Gates Ocidentais, cadeias formadas de basalto, cujos cumes mais elevados estão cobertos por espessas florestas.

De vez em quando sir Francis Cromarty e Phileas Fogg trocavam algumas palavras, e, neste momento, o general de brigada, reatando o fio da conversação que muitas vezes se quebrava, disse:

– Há alguns anos, o senhor teria experimentado um atraso neste lugar, que comprometeria sua jornada.

– Por que, sir Francis?

– Porque a estrada de ferro parou na base destas montanhas, que precisavam ser cruzadas em palanquins até a encosta do outro lado.

– Há alguns anos, senhor Fogg, teria tido nestas paragens uma demora que certo lhe teria comprometido o itinerário.

– Porque a estrada de ferro terminava no sopé destas montanhas, que era preciso atravessar de palanquim ou no dorso de pôneis até a estação de Kandallah, situada na vertente oposta.

– Entretanto, Sr. Fogg, retomou o general de brigada, correu um risco enorme de ter uma grande dificuldade nos braços com a aventura deste rapaz.

Passepartout, os pés embrulhados na sua manta de viagem, dormia profundamente e nem sequer sonhava que falavam dele.

– Bem, se tivesse sido preso, Sir Francis, respondeu Sr. Fogg, teria sido condenado, teria cumprido sua pena, e depois teria voltado tranquilamente para a Europa. Não vejo em que este caso teria podido retardar seu patrão!

E neste ponto a conversação interrompeu-se novamente. Durante a noite o trem transpôs os Gates, passou para Nassik, e no dia seguinte, 21 de outubro, lançou-se através de uma região relativamente plana, formada pelo território de Khandeish. A campina, bem cultivada, estava semeada de aldeias, sobre as quais o minarete do pagode substituí o campanário da igreja europeia. Numerosos riachos, a maioria afluentes ou subafluentes do Godaveri, irrigavam esta região fértil.

Passepartout, acordado, contemplava, e não podia acreditar que atravessava o país dos hindus num trem da Great peninsular railway. Parecia-lhe inverossímil. Mas era real. A locomotiva, dirigida pelo braço de um maquinista inglês e aquecida com carvão inglês, lançava sua fumaça sobre as plantações de algodão, de café, de noz moscada, de cravo e de pimenta. O vapor se contorcia em espirais ao redor de grupos de palmeiras, por entre os quais apareciam pitorescos bangalôs, alguns *viharis*, espécie de monastérios abandonados, e templos maravilhosos que enriqueciam a inigualável ornamentação da arquitetura indiana. Depois, imensas extensões de terra se estendiam a perder de vista, selvas onde não faltavam nem as serpentes, nem os tigres espantados pelos apitos do trem, e, finalmente, florestas, sulcadas pelo traçado da via, ainda povoadas pelos elefantes que, com olhos pensativos, viam passar o comboio com sua cabeleira de fumaça.

Pela manhã, além da estação de Malligaum, os viajantes atravessaram esse território funesto, que foi tantas vezes ensanguentado pelos seguidores da deusa Kali. Não muito longe elevava-se Ellora e seus pagodes admiráveis, não longe a célebre Aurungabad, a capital do feroz Aureng-Zeb, presentemente simples capital de uma das províncias desmembradas do reino de Nizam. Era nesta província que Feringhea, o chefe dos thugs, exercia o seu domínio. Estes assassinos, unidos em uma associação misteriosa, estrangulavam, em honra da deusa da morte, vítimas de todas as idades, sem nunca derramarem sangue, e houve tempo em que não se podia revolver nenhum ponto deste solo sem se encontrar um cadáver. O governo inglês já conseguiu impedir tais mortes em uma proporção razoável, mas a temível associação ainda existe e continua a funcionar.

Ao meio-dia e meia, o trem parou e Passepartout pôde procurar a peso de ouro um par de babuchas, enfeitadas com pérolas falsas, que calçou com evidente vaidade.

Os viajantes almoçaram rapidamente, e tornaram a partir para a estação de Assurghur, depois de terem por instantes costeado a margem do Tapti, pequeno rio que se vai lançar no golfo de Cambay, perto de Surat.

É interessante saber que pensamentos ocupavam então a mente de Passepartout. Até sua chegada a Bombaim, tinha acreditado e pudera crer que ficariam por ali. Mas agora, desde que corria a todo o vapor através da Índia, uma reviravolta se dera em seu espírito. Sua natureza lhe retornava a galope. Reencontrava as ideias fantasiosas de sua juventude, levava a sério os projetos de seu patrão, acreditava na realidade da aposta, consequentemente na volta ao mundo e neste limite de tempo, que era preciso não ultrapassar. Até já começava a ficar inquieto com os atrasos possíveis, com os acidentes que poderiam sobrevir no caminho. Sentia-se como que interessado nesta maluquice, e estremecia ao pensar de que tinha podido comprometê-la na véspera por sua imperdoável distração. Assim, muito menos fleumático do que Sr. Fogg, estava mais inquieto. Contava e recontava os dias decorridos, amaldiçoava as paradas do trem, acusava-o de lentidão, e censurava Sr. Fogg por não ter prometido uma gratificação ao maquinista. Não sabia, o bom moço, que o que era possível nos navios não o era nas estradas de ferro, onde a velocidade está regulamentada.

Ao anoitecer, se embrenharam nos desfiladeiros das montanhas de Sutpour, que separam o território do Kandeish do de Bundelkund.

No dia seguinte, 22 de outubro, a uma pergunta de Sir Francis Cromarty, Passepartout, tendo consultado seu relógio, respondeu que eram três da manhã. E, com efeito, este famoso relógio, sempre regulado pelo meridiano de Greenwich, que ficava quase a setenta e sete graus a oeste, deveria estar atrasado, e efetivamente estava atrasado quatro horas.

Sir Francis retificou a hora dada por Passepartout, ao qual fez a mesma observação que este já tinha recebido de Fix. Tentou fazê-lo compreender que deveria acertar o relógio a cada novo meridiano, e que, como caminhavam constantemente para leste, isto é, à frente do Sol, os dias eram mais curtos na razão de tantas vezes quatro minutos quanto os graus percorridos. Foi inútil. Tenha o teimoso rapaz compreendido ou não a observação do general de brigada, obstinou-se em não adiantar seu relógio, que mantinha invariavelmente pela hora de Londres. Mania inocente, afinal, e que não poderia prejudicar ninguém.

Às oito da manhã, e a quinze milhas adiante da estação de Rothal, o trem parou no meio de uma vasta clareira, cercada de alguns bangalôs e de cabanas de trabalhadores. O condutor do trem passou pela fileira dos vagões dizendo:

– Senhor, não há mais estrada de ferro! Quero dizer que o trem não continua.

O general de brigada desceu logo do vagão. Phileas Fogg seguiu-o, sem se apressar. Os dois dirigiram-se ao maquinista:

– Onde estamos?

– Na aldeia de Kholby, respondeu o condutor.

– Paramos aqui?

– Sem dúvida. A estrada de ferro não está acabada...

– Não! Há ainda um trecho de umas cinquenta milhas a estabelecer entre este ponto e Alaabad, onde a via recomeça.

– Quer dizer que os jornais se enganaram ao anunciar a ferrovia completa.

– Sem dúvida, respondeu o maquinista, mas os viajantes sabem muito bem que devem se fazer transportar de Kholby até Alaabad.

Sir Francis Cromarty estava furioso. Passepartout teria de bom grado batido no condutor, que já não podia conduzir. Não ousava olhar para seu patrão.

– Sr. Fogg, trata-se de um atraso absolutamente prejudicial aos seus interesses?

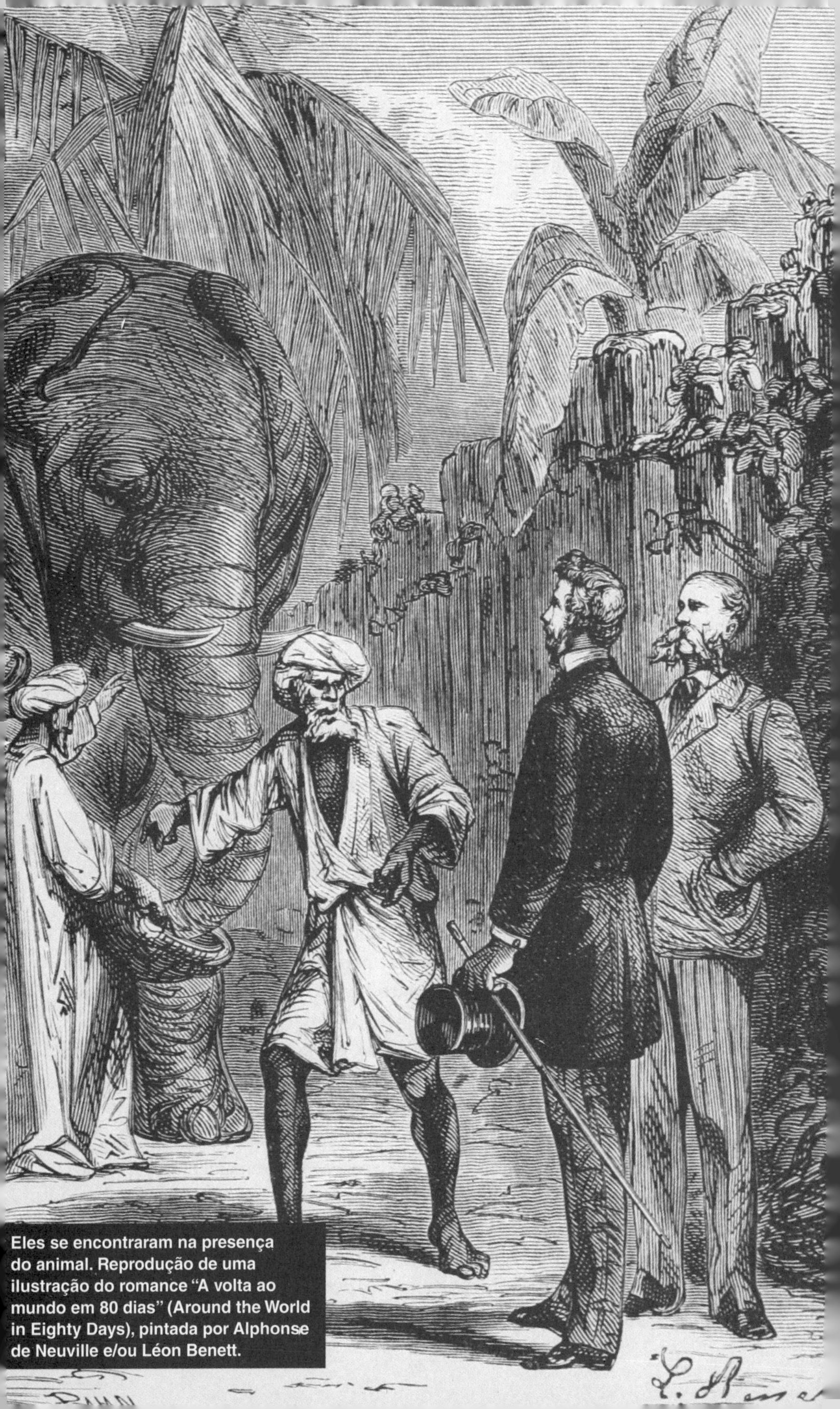

Eles se encontraram na presença do animal. Reprodução de uma ilustração do romance "A volta ao mundo em 80 dias" (Around the World in Eighty Days), pintada por Alphonse de Neuville e/ou Léon Benett.

– Tudo isso estava previsto. Nada está com prometido. Tenho dois dias de avanço para sacrificar. Há um vapor que parte de Calcutá para Hong Kong dia 25, ao meio-dia. Estamos ainda no dia 22, e chegaremos a tempo em Calcutá.

Não havia nada a dizer a uma resposta dada com tão completa segurança. Era verdade que os trabalhos da estrada de ferro paravam naquele ponto. Os jornais são como certos relógios que têm a mania de adiantar, e haviam prematuramente anunciado a conclusão da linha. A maioria dos viajantes conhecia esta interrupção da via, e, ao descerem do trem, tinham se apoderado dos veículos de todo tipo que havia na aldeia, palkigharis de quatro rodas, carretas puxadas por zebus, carros de viagem semelhantes a pagodes ambulantes, palanquins, pôneis, etc. Por isso Sr. Fogg e sir Francis Cromarty, depois de procurarem por toda a aldeia, voltaram sem achar nada.

– Eu irei a pé! – disse Fogg.

Passepartout fez uma careta, considerando seus calçados. Hesitou um pouco e disse:

– Senhor, creio que encontrei um meio de transporte.

– Um elefante! Um elefante que pertence a um indiano que mora a cem passos daqui.

Cinco minutos mais tarde, Phileas Fogg, sir Francis Cromarty e Passepartout chegavam a uma choça próxima de um cercado fechado com altas paliçadas. Na choça havia um indiano, e no cercado, um elefante. Ao pedirem, o indiano introduziu Sr. Fogg e seus dois companheiros no cercado.

Estavam diante de um animal, meio domesticado, que o seu proprietário criava, não para fazer dele um animal de carga, mas um animal de combate. Para este fim, tinha começado a modificar o caráter naturalmente manso do animal, de modo a conduzi-lo gradualmente a esse paroxismo de raiva chamado mutsh na língua indiana, alimentando-o durante três meses com açúcar e manteiga. Este tratamento pode parecer inadequado para se obter tal resultado, mas não deixa de ser empregado com sucesso pelos criadores. Felizmente para Sr. Fogg, o elefante em questão fora submetido a semelhante regime há pouco tempo, e o mutsh ainda não se tinha manifestado.

Kiouni – era este o nome do animal – podia, como todos os seus semelhantes, sustentar durante muito tempo uma marcha rápida, e, à falta de outra montaria, Phileas Fogg resolveu servir-se dele.

Mas os elefantes são caros na Índia, onde começam a se tornar raros. Os machos, que são os únicos que convêm às lutas de circos, são extremamente procurados. Estes animais raramente se reproduzem em cativeiro. Portanto só podem ser obtidos por meio da caça. Por isso são objeto de cuidados extremos, e quando Sr. Fogg perguntou ao indiano se queria alugar seu elefante, o indiano recusou no ato.

Fogg insistiu e ofereceu um preço excessivo, dez libras por hora. Recusa. Vinte libras? Nova recusa. Quarenta libras? Sempre recusa.

Passepartout dava pulos a cada aumento de preço. Mas o indiano não se deixava tentar.

Era uma bela quantia, contudo. Supondo-se que o elefante gastasse quinze horas até Alaabad, seriam seiscentas libras ao proprietário. Phileas Fogg, sem se animar de modo algum, propôs ao indiano comprar-lhe o animal, e ofereceu de cara mil libras.

O indiano não queria vender! Talvez o velhaco farejasse algum negócio magnífico.

Sir Francis Cromarty chamou Sr. Fogg à parte e pediu-lhe que refletisse antes de prosseguir. Phileas Fogg respondeu ao seu companheiro que não tinha por costume agir sem reflexão, que afinal de contas se tratava de uma aposta de vinte mil libras, que este elefante lhe era necessário, e que, mesmo que tivesse de pagar vinte vezes seu valor, teria este elefante.

Sr. Fogg foi ter outra vez com o indiano, cujos olhos pequeninos, iluminados pela cobiça, deixavam perceber que para ele aquilo era apenas uma questão de preço. Phileas Fogg ofereceu sucessivamente mil e duzentas libras, depois mil e quinhentas, depois mil e oitocentas, afinal duas mil libras.

A duas mil libras, o indiano se rendeu.

– Por minhas babuchas, carne de elefante é muito cara! – comentou Passepartout.

Concluída a transação, só faltava arranjar um guia. Foi mais fácil. Um jovem parsi, de fisionomia inteligente, ofereceu seus serviços. Sr. Fogg aceitou e prometeu-lhe uma boa remuneração, o que só poderia aumentar sua inteligência. O elefante foi trazido e equipado sem demora. O parsi conhecia seu ofício de mahout ou condutor. Cobriu-lhe o lombo com uma espécie de tapete, e pôs-lhe de cada lado dos flancos uma espécie de cesto bem pouco confortáveis.

Phileas Fogg pagou ao indiano com cédulas que foram tiradas da famosa sacola. Parecia realmente que eram retiradas das entranhas de Passepartout. Depois, Sr. Fogg ofereceu a Sir Francis Cromarty transportá-lo até a estação de Alaabad. O general de brigada aceitou. Um viajante a mais não era coisa que fatigasse o gigantesco animal.

Alimentos foram comprados em Kholby. Sir Francis Cromarty tomou lugar num dos cestos, Phileas Fogg no outro. Passepartout se pôs de cócoras no lombo, entre seu patrão e o general de brigada. O parsi empoleirou-se no pescoço do elefante e às nove horas o animal, deixando a aldeia, embrenhou-se na espessa floresta de palmeiras.

Capítulo 12

Phileas Fogg e seus amigos se aventuram pelas florestas da Índia

O guia, para encurtar a distância a percorrer, deixou à sua direita o traçado da via cujos trabalhos estavam em execução. Esta rota, muito contrariada pelas caprichosas ramificações dos montes Víndias, não seguia o caminho mais curto, que Phileas Fogg pretendia tomar. O parsi, muito familiarizado com os caminhos e as sendas daquela região, queria ganhar uma vintena de milhas cortando caminho pela floresta, e todos confiaram nele.

Phileas Fogg e Sir Francis Cromarty, enfurnados até o pescoço em seus respectivos cestos, eram fortemente sacudidos pelo trote pesado do elefante, ao qual seu mahout imprimia uma marcha rápida. Suportavam a situação com a mais britânicas das fleumas, conversando, porém, pouco, e mal se vendo um ao outro.

Passepartout, postado sobre o dorso do animal e diretamente submetido aos golpes e contragolpes, cuidava, conforme uma recomendação de seu patrão, de não colocar a língua entre os dentes, senão ela seria cortada. O bom moço, às vezes arremessado para o pescoço do elefante, às vezes para a garupa, fazia volteios, como um palhaço sobre um trampolim. Mas se divertia, rindo entre os seus saltos. De vez em quando tirava da sacola um pedaço de açúcar, que o inteligente Kiouni pegava com a extremidade da tromba, sem interromper por um momento seu trote regular.

Depois de duas horas de marcha, o guia parou o elefante e lhe deu uma hora de repouso. O animal devorou ramos e arbustos, depois de ter matado a sede num charco próximo. Sir Francis Cromarty não se queixou desta parada. Estava quebrado. Sr. Fogg parecia sentir-se tão bem-disposto como se tivesse acabado de sair de seu leito.

– Parece de ferro! – comentou o militar

– Ferro forjado! – respondeu Passepartout, entretido no preparo de um almoço sumário.

Ao meio-dia, o guia deu o sinal de partida. A região tomou logo um aspecto muito selvagem. Às grandes florestas sucederam-se moitas de tamarindos e de palmeiras anãs, depois vastas planícies áridas, eriçadas de arbustos magros e semeadas de grandes blocos de sienitos.

Toda esta parte do alto Bundelkund, pouco frequentada por viajantes, é habitada por uma população fanática, endurecida nas práticas mais terríveis da religião hindu. A dominação dos Ingleses não pôde se estabelecer regularmente sobre um território submetido à influência dos rajás, que eram difíceis de alcançar em seus inacessíveis refúgios dos Víndias.

Várias vezes, avistaram bandos de indianos ferozes, que faziam um gesto de cólera ao verem passar o rápido quadrúpede. Entretanto o parsi os evitava tanto quanto possível, considerando-os como gente ruim de se encontrar. Poucos animais foram vistos durante esta jornada, apenas alguns macacos, que fugiam com mil contorções e caretas com as quais Passepartout se divertiu muito.

Um pensamento entre muitos outros inquietava o moço. O que Sr. Fogg faria com o elefante, quando chegasse à estação de Alaabad? Levaria? Impossível! O preço do transporte somado ao da aquisição fariam dele um animal inviável. Vendê-lo-ia, restituir-lhe-ia a liberdade? O animal bem merecia que tivessem alguns cuidados com ele. Se, por acaso, Sr. Fogg lhe desse de presente, Passepartout se veria em apuros.

Às oito horas da noite, a principal cadeia dos Víndias havia sido vencida, e os viajantes pararam ao pé da vertente setentrional, em um bangalô em ruínas.

A distância percorrida durante esta jornada tinha sido de umas vinte e cinco milhas, e ainda faltavam outras tantas para atingir a estação de Alaabad.

A noite estava fria. No interior do bangalô, o parsi acendeu um fogo com galhos secos, cujo calor foi muito apreciado. A ceia se compôs das provisões compradas em Kholby. Os viajantes comeram como pessoas fatigadas e moídas. A conversação, que começou por algumas frases entrecortadas, terminou bem depressa em roncos sonoros. O guia ficou vigiando perto de Kiouni, que adormeceu em pé, apoiado no tronco de uma grande árvore.

Nenhum incidente marcou a noite. Alguns rugidos de feras perturbaram às vezes o silêncio, misturados com os gritos agudos de macacos. Mas os carnívoros limitaram-se aos gritos, e não fizeram nenhuma demonstração hostil contra os hóspedes do bangalô. Sir Francis Cromarty dormiu pesadamente como bravo militar prostrado de fadiga. Passepartout, em um sono agitado, reviu em sonhos as aventuras da véspera. Sr. Fogg, repousou também como se estivesse em sua tranquila casa de Saville Row.

Às seis da manhã, retomaram a caminhada. O guia esperava chegar à estação de Alaabad naquela mesma noite. Deste modo, Sr. Fogg só perderia parte das quarenta e oito horas economizadas desde o começo da viagem.

Desceram as últimas rampas dos Víndias. Kiouni retomara o seu andamento rápido. Por volta do meio-dia, o guia contornou a aldeia de Kallenger, situada sobre o Cani, um dos subafluentes do Ganges. Evitava sempre os lugares habitados, sentindo-se em maior segurança nestas campinas desertas, que marcam as primeiras depressões da bacia do grande rio. A estação de Alaabad ficava a menos de doze milhas a nordeste. Fizeram alto sob uma touceira de bananeiras, cujos frutos, tão saudáveis quanto o pão, "tão suculentos como creme", dizem os viajantes, foram extremamente apreciados.

Às duas horas, o guia entrou sob a cobertura de uma espessa floresta, que deveria atravessar por algumas milhas. Preferia viajar assim ao abrigo dos bosques. Em todo caso, não houvera até então nenhum encontro desagradável, e a viagem parecia dever se realizar sem acidente, quando o elefante, dando alguns sinais de inquietação, subitamente parou. Eram quatro horas então.

– Que isso, perguntou o Sr. Cromarty.

– Não sei, meu oficial, respondeu o parsi, tentando ouvir melhor um rumor confuso sob a espessa folhagem.

Alguns instantes depois, o barulho ficou mais audível. Um misto de vozes humanas e instrumentos de metal. Passepartout era todo olhos, todo orelhas. Sr. Fogg aguardava pacientemente, sem pronunciar uma palavra. O guia contou:

– É uma procissão de brâmanes que se dirige para este lado. Se for possível, evitemos ser vistos.

O guia desamarrou o elefante e conduziu-o para um matagal fechado, recomendando aos viajantes que não se apeassem. Ele próprio se conservou pronto para trepar rapidamente na montaria, se a fuga se tornasse necessária. Mas pensava que a tropa dos fiéis passaria sem o perceber, pois a espessura da folhagem o dissimulava inteiramente.

O barulho discordante de vozes e de instrumentos se aproximava. Cantos monótonos se misturavam ao som dos tambores e dos címbalos. Logo à frente da procissão apareceu sob as árvores, a uns cinquenta passos da posição ocupada por Sr. Fogg e seus companheiros. Eles distinguiam facilmente através dos ramos o pessoal curioso desta cerimônia religiosa.

Na primeira fila vinham sacerdotes com mitras na cabeça e longas batas muito ornamentadas. Estavam cercados por homens, mulheres e crianças, que faziam ouvir uma espécie de reza fúnebre, interrompida a intervalos iguais por toques de tantãs e de címbalos. Atrás deles, sobre um carro de grandes rodas, no qual os raios e os eixos pareciam serpentes entrelaçadas, apareceu uma figura horrível, puxada por duas parelhas de zebus ricamente cobertos com capas. Esta estátua tinha quatro braços, o corpo colorido de um vermelho escuro, os olhos arregalados, os cabelos revoltos, a língua pendente, os lábios tingidos com henna e bétel. Em seu pescoço enrolava-se um colar de caveiras e em seus flancos um cinturão de mãos decepadas. Ela se mantinha em pé sobre um gigante caído ao qual faltava a cabeça.

Sir Francis Cromarty reconheceu esta estátua.

– A deusa da morte e do amor.

– Da morte, admito, mas do amor, jamais! – disse Passepartout. Mulher horrorosa!

O parsi fez sinal para que se calasse.

Em volta da estátua agitava-se, contorcia-se, convulsionava-se um grupo de velhos faquires, pintados com listras ocre, cobertos de incisões que deixavam escapar seu sangue gota a gota, energúmenos estúpidos que, nas grandes cerimônias hindus, se precipitam ainda sob as rodas da carruagem de Jaggernaut.

Atrás deles, alguns brâmanes, em toda suntuosidade de seus trajes orientais, arrastavam uma mulher que mal conseguia ficar em pé. Era uma mulher jovem, branca como uma europeia. Sua cabeça, seu pescoço, seus ombros, suas orelhas, seus braços, suas mãos, seus artelhos estavam sobrecarregados de joias, colares, braceletes, brincos e anéis. Uma túnica com filetes de ouro, recoberta com um tecido muito fino, moldava os contornos de seu corpo.

Atrás desta mulher – contraste violento para os olhos –, guardas armados com sabres desembainhados, colocados em suas cinturas e longas pistolas com incrustações, transportavam um cadáver sobre um palanquim.

Era o cadáver de um velho, revestido com seus opulentos trajes de rajá, trazendo, como em vida, o turbante bordado de pérolas, a veste tecida de seda e ouro, o cinto de caxemira com diamantes, e suas magníficas armas de príncipe indiano.

Depois os músicos e uma retaguarda de fanáticos, cujos gritos cobriam às vezes o ensurdecedor barulho dos instrumentos, fechavam o cortejo.

Sir Francis Cromarty olhava toda esta pompa com um ar singularmente entristecido, e voltando-se para o guia:

– É um sati? – perguntou.

O parsi acenou afirmativamente com a cabeça e colocou um dedo sobre os lábios. A longa procissão desfilou lentamente sob as árvores, e logo suas últimas filas desapareceram no seio da floresta.

Pouco a pouco, os cantos se extinguiram. Havia ainda alguns lampejos de gritos ao longe, e afinal a todo este tumulto sucedeu um profundo silêncio.

Sr. Fogg tinha ouvido a palavra, pronunciada por Sir Francis Cromarty, e assim que a procissão desapareceu, perguntou:

– O que é um sati?

– Um sati, senhor Fogg, respondeu o general de brigada, é um sacrifício humano, mas um sacrifício voluntário. Esta mulher que acabou de ver será queimada amanhã às primeiras horas do dia.

– E o cadáver? – perguntou Sr. Fogg.

– É o do príncipe, seu marido, respondeu o guia, um rajá independente do Bundelkund.

– Como? Esses costumes bárbaros ainda persistem por aqui? E os ingleses nada fazem? – perguntou Sr. Fogg.

– Na maior parte da Índia, respondeu Sir Francis Cromarty, esses sacrifícios já não acontecem mais, mas não temos nenhuma influência nas regiões selvagens, e principalmente aqui no território do Bundelkund. Toda a vertente setentrional dos Víndias é teatro de assassinatos e de pilhagens incessantes.

– Mulher infeliz, queimada viva! – se espantou Passepartout.

– Sim, continuou o general de brigada, queimada, e se não fosse, nem podem imaginar a que miserável condição se veria reduzida por seus próximos. Cortariam seus cabelos e lhe dariam apenas alguns punhados de arroz, seria considerada como uma criatura imunda e morreria em algum canto como um cão sarnento. É também a perspectiva desta medonha existência que leva muitas vezes essas infelizes ao suplício, muito mais que o amor ou o fanatismo religioso. Às vezes, contudo, o sacrifício é realmente voluntário, e é necessária a intervenção enérgica do governo para o impedir. Assim, há alguns anos, eu residia em Bombaim, quando uma jovem viúva veio pedir ao governador autorização para se queimar viva com o corpo do marido. Como podem imaginar, o governador recusou. Então a viúva deixou a cidade, refugiou-se junto a um rajá independente, e lá consumou seu sacrifício.

Durante a narrativa do general de brigada, o guia sacudia a cabeça, e, quando o relato acabou:

– Como sabe?

– É uma história que todo mundo conhece no Bundelkund, respondeu o guia.

– E a coitada não faz nenhuma resistência... – observou Sr. Francis.

– É porque a inebriaram com fumaça de cânhamo e de ópio. – explicou o guia.

– Mas para onde a levam?

– Para o pagode de a duas milhas daqui. Lá, passará a noite esperando a hora do sacrifício.

– E o sacrifício, quando acontecerá?

– Amanhã, ao raiar do sol.

Depois desta resposta, o guia tirou o elefante da mata fechada e subiu em seu pescoço. Mas no momento em que ia incitá-lo com um assobio particular, Sr. Fogg o deteve, e, dirigindo-se a Sir Francis Cromarty:

– E se salvássemos esta mulher?

– Salvar esta mulher, senhor Fogg!...

– Tenho ainda doze horas de avanço. Posso dedicá-las a isso.

– Ora, ora! Mas é um homem de coração!

– Às vezes, respondeu simplesmente Phileas Fogg. Quando tenho tempo.

Capítulo 13

Passepartout prova que a fortuna sorri para os corajosos

O plano era arrojado, cheio de dificuldade, até impraticável. Sr. Fogg iria arriscar sua vida, ou pelo menos sua liberdade e também a realização de seus projetos, mas não hesitou. E encontrou em Sir Francis Cromarty um auxiliar decidido.

Passepartout, estava pronto, podiam contar com ele. A ideia do patrão o animava. Percebia um coração, uma alma sob aquela aparência gélida. Começava a amar Phileas Fogg.

Faltava o guia. De que lado estaria? Não estaria inclinado a favor dos hindus? Se não fossem colaborar, era preciso pelo menos contar com a sua neutralidade.

Sir Francis Cromarty perguntou-lhe diretamente, e o guia respondeu:

– Meu oficial, sou parsi, e esta mulher é parsi. Conte comigo.

– Muito bem, guia! – respondeu Sr. Fogg.

– Entretanto, saibam bem, retomou o parsi, não só arriscamos a vida, mas podemos sofrer terríveis torturas, se nos pegarem. Por isso, reflitam.

– Está refletido, respondeu Sr. Fogg. Penso que devemos esperar a noite para agir.

– Penso o mesmo, respondeu o guia.

O valente Indiano deu então alguns detalhes sobre a vítima. Era uma Indiana famosa por sua beleza, de raça parsi, filha de ricos negociantes de Bombaim. Tinha recebido naquela cidade uma educação absolutamente inglesa, e por suas maneiras, por sua instrução, parecia europeia. Chamava-se Aouda. Órfã, foi casada contra a vontade com o velho rajá do Bundelkund. Três meses depois, ficou viúva. Sabendo a sorte que a esperava, fugiu, foi logo apanhada, e os parentes do rajá, que tinham interesse em sua morte, destinaram-na a este suplício do qual parecia não poder escapar.

O relato só reforçou Sr. Fogg e seus companheiros na heroica resolução. Foi decidido que o guia dirigiria o elefante para o pagode de Pillaji, do qual se aproximaria tanto quanto possível.

Meia hora depois, pararam sob um arvoredo, a quinhentos passos do pagode, que não podiam avistar. O alarido dos fanáticos se fazia ouvir distintamente.

Discutiram então os meios de chegar perto da vítima. O guia conhecia este pagode de Pillaji, no qual afirmou que a jovem estava aprisionada. Poderiam penetrar por uma das portas, quando todo o bando estivesse mergulhado no sono do entorpecimento, ou seria preciso fazer um buraco na muralha? Isso só poderia ser decidido no local e na hora. Não havia nenhuma dúvida de que o resgate deveria ser realizado naquela mesma noite, e não quando, ao raiar do dia, a vítima seria conduzida ao sacrifício. Aí, nenhuma intervenção humana seria capaz de a salvar.

Sr. Fogg e os seus companheiros esperaram a noite. Assim que escureceu, por volta das seis horas, resolveram fazer um reconhecimento em volta do pagode. Os últimos gritos dos faquires então se extinguiam. Seguindo seu costume, estes indianos deviam estar mergulhados no pesado entorpecimento do ópio líquido, misturado com uma infusão de cânhamo – e seria talvez possível se esgueirar por entre eles até o templo.

O parsi, guiando Sr. Fogg, Sir Francis Cromarty e Passepartout, avançou sem barulho através da floresta. Depois de rastejarem dez minutos sob os ramos, chegaram à borda de um pequeno rio, e ali, à luz de tochas de ferro na ponta das quais ardiam resinas, distinguiram um monte de madeira empilhada. Era a pira, feita de precioso sândalo, e já impregnado com um óleo perfumado. Em sua parte superior repousava o corpo embalsamado do rajá, que deveria ser queimado ao mesmo tempo que sua viúva. A cem passos desta pira elevava-se o pagode, cujos minaretes atravessavam na sombra a copa das árvores.

– Venham! – disse o guia em voz baixa.

E, com precaução redobrada, seguido por seus companheiros, esgueirou-se silenciosamente pelo matagal.

O silêncio só era interrompido pelo murmúrio do vento nos galhos.

Logo o guia parou na extremidade de uma clareira. Algumas resinas iluminavam o lugar. O solo estava repleto de grupos que dormiam, prostrados pelo entorpecimento. Parecia um campo de batalha coberto de mortos. Homens, mulheres e crianças todos misturados. Alguns entorpecidos ainda roncavam, aqui e ali.

Ao fundo, entre as árvores, divisava-se distintamente o templo de Pillaji. Mas, para grande desapontamento do guia, os guardas do rajá, iluminados por tochas fuliginosas, vigiavam as portas e passeavam de um lado para outro, o sabre desembainhado. Poderiam supor que no interior os sacerdotes também vigiassem.

O parsi não foi mais longe. Reconhecera a impossibilidade de forçar a entrada do templo, e fez recuar seus companheiros.

Phileas Fogg e Sir Francis Cromarty tinham compreendido que nada poderiam tentar por este lado.

Pararam e se consultaram em voz baixa.

Esperemos, disse o general de brigada; são só oito horas ainda, e é possível que estes guardas sucumbam também ao sono.

– É possível, com efeito, respondeu o parsi.

Phileas Fogg e os seus companheiros estenderam-se pois ao pé de uma árvore e esperaram.

O tempo lhes pareceu longo! O guia deixava-os às vezes e ia observar a orla do bosque. Os guardas do rajá continuavam a velar à luz das tochas, e uma vaga luz filtrava através das janelas do pagode.

Esperaram assim até à meia-noite. A situação não mudou. Mesmo a vigilância do lado de fora. Era evidente que não se podia contar com o sono dos guardas. O entorpecimento do ópio lhes tinha sido provavelmente poupado. Era preciso agir de outro modo e penetrar por uma abertura feita nas muralhas do pagode. Restava saber se os sacerdotes vigiavam com tanto zelo como os soldados à porta do templo.

Após uma última conversa, o guia disse que estava pronto para partir. Sr. Fogg, Sir Francis e Passepartout seguiram-no. Deram uma volta bem longa, para chegarem ao pagode pelos fundos.

Por volta de meia-noite e meia, chegaram ao pé dos muros sem terem encontrado ninguém. Nenhuma vigilância tinha sido estabelecida daquele lado, mas na verdade não havia nem portas nem janelas.

A noite estava sombria. A lua, então em seu último quadrante, deixava apenas o horizonte, encoberto por densas nuvens. A altura das árvores aumentava ainda mais a escuridão.

Mas não bastava ter chegado ao pé das muralhas, era preciso ainda fazer uma abertura. Para esta operação Phileas Fogg e os seus companheiros tinham apenas seus canivetes. Felizmente, as paredes do templo eram feitas de uma mistura de tijolo e madeira que não deveria ser difícil furar. Tirado o primeiro tijolo, os outros vieram facilmente.

Puseram mãos à obra, fazendo o menor ruído possível. O parsi de um lado, Passepartout do outro, trabalhavam para arrancar os tijolos, de modo a obter uma abertura com dois pés de largura.

O trabalho avançava, quando um grito se fez ouvir no interior do templo, e quase em seguida outros gritos responderam do lado de fora.

Passepartout e o guia interromperam o trabalho. Teriam sido surpreendidos? Seria um sinal de despertar? A prudência mais elementar recomendaria que se afastassem – o que fizeram ao mesmo tempo que Phileas Fogg e sir Francis Cromarty.

Esconderam-se novamente sob a cobertura do bosque, esperando que o alerta, supondo-se que fosse um, se dissipasse, e prontos, neste caso, a recomeçar a operação.

Mas guardas apareceram no fundo do pagode, e postaram-se ali impedindo qualquer aproximação.

Seria difícil descrever o desapontamento destes quatro homens, detidos em sua obra. Agora, que não poderiam mais chegar até a vítima, como a salvariam? Sir Francis Cromarty mordia os punhos. Passepartout estava fora de si, e o guia tinha alguma dificuldade em contê-lo. O impassível Fogg aguardava sem manifestar seus sentimentos.

– Só nos resta partir? – perguntou o general de brigada em voz baixa.

– Só nos resta partir! – respondeu o guia.

– Esperem, disse Sr. Fogg. Basta que eu esteja amanhã em Alaabad antes do meio-dia.

– Mas o que espera? – indagou Sir Francis Cromarty. Em algumas horas o dia vai aparecer, e...

– A oportunidade que nos escapa pode voltar a se apresentar no momento supremo.

O general de brigada teria desejado poder ler nos olhos de Phileas Fogg.

Com o que contava este frio inglês? Quereria, no momento do suplício, lançar-se em direção à jovem e arrancá-la abertamente de seus algozes?

Seria uma loucura, e como admitir que este homem fosse louco a tal ponto? Apesar de tudo, Sir Francis Cromarty consentiu em esperar até o desenlace daquela terrível cena. Todavia, o guia não deixou os seus companheiros no lugar onde se tinham refugiado, levou-os para a parte anterior da clareira. Dali, ocultos por algumas árvores, podiam observar os grupos adormecidos.

Enquanto isso, Passepartout, empoleirado nos primeiros galhos de uma árvore, ruminava uma ideia que havia a princípio atravessado seu espírito como um relâmpago, e que acabara por incrustar-se em seu cérebro.

Havia começado por se dizer: "Que loucura!" e agora repetia:" Por que não, apesar de tudo? É uma probabilidade, talvez a única, e com uns brutos assim!"

Em todo caso, Passepartout não elaborou este pensamento, mas não tardou a deslizar com a agilidade de uma serpente sobre os ramos baixos da árvore cuja extremidades se curvava para o solo.

As horas corriam, e logo algumas tonalidades menos sombrias anunciaram a aproximação do dia. Contudo, a escuridão era ainda profunda.

Chegara o momento. Houve como que uma ressurreição daquela multidão adormecida. Os grupos se animaram. Batidas de tantãs ressoaram. Cantos e gritos ecoaram novamente. Chegara a hora em que a coitada iria morrer. Com efeito, as portas de pagode se abriram. Uma luz mais viva escapou do interior. Sr. Fogg e Sir Francis Cromarty puderam divisar a vítima, vivamente iluminada, que dois sacerdotes arrastavam para fora. Pareceu-lhes mesmo que, sacudindo o entorpecimento por um supremo instinto de conservação, a infeliz tentava escapar. O coração de sir Francis Cromarty pulou, e em um movimento compulsivo, agarrando na mão de Phileas Fogg, sentiu que aquela mão tinha uma navalha aberta.

Neste momento, a multidão moveu-se. A jovem recaíra no torpor provocado pelas fumaças do cânhamo. Passou rodeada pelos faquires, que a escoltavam com suas vociferações religiosas.

Phileas Fogg e os seus companheiros, confundindo-se com as últimas fileiras da multidão, seguiram-na.

Dez minutos depois, chegaram à beira do rio e pararam a menos de cinquenta passos da pira, sobre a qual estava estendido o corpo do rajá. Viram a vítima absolutamente inerte, estendida aos pés do cadáver de seu esposo.

Depois uma tocha foi aproximada e a madeira, impregnada de óleo, logo se inflamou.

Neste momento, Sir Francis Cromarty e o guia contiveram Phileas Fogg, que num momento de generosa loucura, se lançava em direção à fogueira...

Mas Phileas Fogg já os havia repelido, quando a cena subitamente mudou. Um grito de terror se elevou. Toda aquela multidão se prostrou por terra, assombrada. O velho rajá não estava, então, morto, porque o viram erguer-se de repente como um fantasma, levantar a jovem em seus braços, descer da pira no meio de turbilhões de fumo que lhe davam uma aparência espectral.

Os faquires, os guardas, os sacerdotes, tomados por súbito terror, estavam lá, face sobre a terra, sem se atreverem a levantar os olhos e contemplar um tal prodígio!

A vítima inanimada passou carregada por braços vigorosos que a levavam, e sem que parecesse lhes pesar. Sr. Fogg e Sir Francis Cromarty tinham ficado de pé. O parsi curvara a cabeça, e Passepartout, sem dúvida, não estaria menos estupefato!...

O ressuscitado chegou perto do local onde estavam Sr. Fogg e Sir Francis Cromarty, e aí, com voz grave:

– Fujamos! – disse.

Era Passepartout em pessoa que deslizara até a pira no meio da fumaça espessa! Era Passepartout que, aproveitando a escuridão ainda profunda, tinha arrancado a jovem à morte! Era Passepartout que, desempenhando o seu papel com uma audaciosa felicidade, passara incólume no meio do assombro geral!

Um instante depois, todos os quatro desapareciam na floresta, e o elefante os transportava num trote rápido. Mas gritos, clamores e mesmo uma bala, que atravessou o chapéu de Phileas Fogg, fez-lhes saber que o logro tinha sido descoberto.

Com efeito, sobre a pira em chamas distinguia-se agora o corpo do velho rajá. Os sacerdotes, saídos de seu terror, tinham compreendido que um rapto acabara de se consumar.

Imediatamente tinham se precipitado na floresta. Os guardas os tinham seguido. Fizeram uma descarga, mas os raptores fugiam rapidamente, e, em pouco tempo, achavam -se fora do alcance das balas e das flechas.

Capítulo 14

Phileas Fogg desce todo o vale do Ganges sem nem pensar em ver

O ousado sequestro foi bem-sucedido. Uma hora depois, Passepartout ria ainda do resultado. Sir Francis Cromarty havia apertado as mãos do intrépido moço. O patrão lhe havia dito: "Bom!", o que, na boca deste cavalheiro, equivalia a uma alta aprovação. Ao que Passepartout respondeu que toda a honra da empreitada pertencia a seu patrão. Para ele, só tinha tido uma ideia maluca, e ria ao pensar que, durante alguns instantes, ele, Passepartout, antigo ginasta, ex-sargento de bombeiros, fora o viúvo de uma mulher encantadora, um velho rajá embalsamado!

Quanto à jovem indiana, nem tinha tido consciência do que se passara. Embrulhada nas mantas de viagem, repousava sobre um dos cestos.

Enquanto isso o elefante, guiado com extrema segurança pelo parsi, corria rapidamente pela floresta ainda obscura. Uma hora após ter deixado o pagode de Pillaji, lançava-se através de uma imensa planície. Às sete horas, fizeram alto. A jovem continuava ainda em completa prostração. O guia deu-lhe alguns goles de água e de brandy. Mas a droga entorpecedora que a atacara deveria se prolongar por algum tempo ainda.

Sir Francis Cromarty, que conhecia os efeitos do entorpecimento produzido pela inalação dos vapores do cânhamo, não se inquietava.

Mas se o restabelecimento da jovem indiana não oferecia dúvida ao espírito do general de brigada, este mostrava-se menos seguro quanto ao futuro. Não hesitou em dizer a Phileas Fogg que se Sra. Aouda ficasse na Índia, inevitavelmente recairia nas mãos dos seus executores. Estes energúmenos encontravam-se por toda a península, e, com certeza, a despeito da polícia inglesa, saberiam reaver a sua vítima, estivesse ela em Madras, em Bombaim, em Calcutá. E Sir Francis Cromarty citava, em apoio do que dizia, um fato da mesma natureza que se passara recentemente. Na sua opinião, a jovem só ficaria verdadeiramente em segurança depois de ter deixado a Índia.

Phileas Fogg respondeu que tomaria estas observações em conta e que o avisaria.

Pelas dez horas, o guia anunciou a estação de Alaabad. Ali continuava a via interrompida da estrada de ferro, cujos trens transpõem, em menos de um dia e uma noite, a distância que separa Alaabad de Calcutá.

Phileas Fogg deveria chegar a tempo para pegar o navio que só partiria no dia seguinte, 25 de outubro, ao meio-dia, para Hong Kong.

A jovem foi instalada em um quarto de estação. Passepartout foi encarregado de ir comprar para ela diversos objetos de toalete, vestido, xale, peles, etc., o que achasse. Seu patrão abria-lhe um crédito ilimitado.

Passepartout partiu em seguida e percorreu as ruas da cidade. Alaabad, a cidade de Deus, é uma das mais veneradas da Índia, por ter sido edificada na confluência de dois rios sagrados, o Ganges e o Jumna, cujas águas atraem os peregrinos de toda a península. Sabe-se ademais que, segundo as lendas do Ramayana, o Ganges tem a sua nascente no céu, de onde, graças a Brama, desce para a terra.

Fazendo suas compras, Passepartout também viu a cidade, outrora defendida por um forte magnífico que se tornou uma prisão do Estado. Nem comércio, nem indústria nesta cidade, outrora industrial e comercial. Passepartout, que em vão procurava uma loja de modas, como se estivesse na Regent Street a alguns passos da Farmer e Co., só encontrou em um revendedor, velho judeu dificultoso, os objetos que precisava, um vestido de tecido escocês, um grande casaco, e uma magnífica pele de lontra pela qual não hesitou em pagar setenta e cinco libras. Depois, todo triunfante, voltou para a estação.

Sra. Aouda começava a voltar a si. A droga a que os sacerdotes de Pillaji a tinham submetido dissipava-se pouco a pouco, e seus lindos olhos recuperavam toda sua doçura indiana.

Quando o rei-poeta, Uçaf Uddaul, celebra os encantos da rainha de Alméhnagara, exprime-se assim:

"Os seus cabelos reluzentes, regularmente divididos ao meio, emolduram-lhe os contornos harmoniosos de suas faces delicadas e alvas, cintilantes de lustre e de frescor. Suas sobrancelhas de ébano têm a forma e o poder do arco de Kama, deus do amor, e sob os longos cílios sedosos, na pupila negra de seus grandes olhos límpidos, navegam como nos lagos sagrados do Himalaia, os reflexos mais puros da luz celeste. Finos, iguais e brancos, seus dentes resplandecem entre seus lábios sorridentes, como gotas de orvalho no seio entreaberto de uma flor de romã. Suas orelhas pequenas de curvas simétricas, suas mãos rosadas, seus pequenos pés arqueados e tenros como os brotos do lótus, brilham como luzir das mais belas pérolas de Ceilão, dos mais belos diamantes de Golconda. Sua cintura delgada e flexível, que basta uma mão para abraçar, realça a elegante curva dos seus quadris arredondados, e a riqueza de seu busto onde a juventude em flor guarda seus mais perfeitos tesouros; e, sob as sedosas dobras de sua túnica, parece ter sido modelada em pura prata pela mão divina de Vicvacarma, o eterno estatuário."

Mas, sem toda esta amplificação, basta dizer que Sra. Aouda, a viúva do rajá do Bundelkund, era uma mulher encantadora em toda acepção europeia da palavra. Falava inglês com grande pureza, e o guia não exagerara em nada ao afirmar que esta jovem parsi havia sido transformada pela educação.

Enquanto isso o trem ia deixar a estação de Alaabad. O parsi esperava. Sr. Fogg pagou-lhe o salário conforme o combinado, nem um farthing a mais. Isto surpreendeu um pouco Passepartout, que sabia quanto seu patrão devia à dedicação do guia. O parsi tinha, com efeito, arriscado voluntariamente sua vida no caso de Pillaj, e se, mais tarde, os indianos viessem a capturá-lo, dificilmente escaparia de sua vingança.

Restava também a questão de Kiouni. Que fariam com um elefante com prado tão caro?

Mas Phileas Fogg já tinha tomado uma decisão. Disse ao guia:

– Parsi, foi um serviçal dedicado. Paguei seu serviço, mas não sua dedicação. Quer este elefante? É seu.

Os olhos do guia brilharam.

– É uma fortuna que Vossa honra me dá! – exclamou.

– Aceita, guia, respondeu Sr. Fogg, e serei ainda teu devedor.

– Em boa hora! – exclamou Passepartout. Aceita, amigo! Kiouni é um bravo e corajoso animal!

E, indo até o elefante, presenteou-o com alguns pedaços de açúcar, dizendo:

Toma, Kiouni, toma, toma!

O elefante soltou alguns grunhidos de satisfação. Depois, tomando Passepartout pela cintura e enrolando-o com a tromba, levantou-o até à altura da cabeça.

Passepartout, nem um pingo assustado, fez uma boa carícia no animal, que o recolocou no chão, e, ao aperto da tromba do fiel Kiouni, o rapaz fiel respondeu com um vigoroso aperto de mão.

Alguns instantes depois, Phileas Fogg, Sir Francis Cromarty e Passepartout, instalados em um confortável vagão no qual Sra. Aouda ocupava o melhor lugar, corriam a todo o vapor para Benares.

Oitenta milhas, no máximo, separam esta cidade de Alaabad, e elas foram vencidas em duas horas.

Durante o trajeto, a jovem voltou completamente a si; os vapores narcotizantes do ópio se dissiparam.

Qual foi sua surpresa ao achar-se ferrovia, naquele compartimento, com roupas europeias, entre viajantes desconhecidos!

Imediatamente, seus companheiros a encheram de cuidados e a reanimaram com algumas gotas de licor. Depois o general de brigada lhe narrou sua história. Insistiu na dedicação de Phileas Fogg, que não tinha hesitado em arriscar a vida para a salvar, e no desenlace da aventura, devido à audaciosa imaginação de Passepartout.

Sr. Fogg deixou-o falar, sem pronunciar uma palavra. Passepartout, todo envergonhado, repetia que "aquilo não foi nada!"

Sra. Aouda agradeceu aos seus salvadores efusivamente, com suas lágrimas, mais que com suas palavras. Seus belos olhos, mais que seus lábios, foram os intérpretes de seu reconhecimento. Depois, recordando as cenas do sati, dirigindo seu olhar para aquela terra indiana onde tantos perigos ainda a esperavam, estremeceu de terror.

Phileas Fogg compreendeu o que se passava no espírito de Sra. Aouda, e, para tranquilizá-la, ofereceu-se, muito friamente aliás, para conduzi-la a Hong Kong, onde poderia permanecer até que o caso fosse esquecido.

Ela aceitou a oferta com reconhecimento. Justamente em Hong Kong, residia um de seus parentes, parsi como ela, e um dos principais negociantes desta cidade, que é absolutamente inglesa, apesar do ocupar um ponto da costa chinesa.

Ao meio-dia e meia, o trem parou na estação de Benares. As lendas bramânicas afirmam que esta cidade ocupa o local da antiga Casi, que estava outrora suspensa no espaço, entre o zênite e o nadir, como a tumba de Maomé. Mas, nesta época mais realista, Benares, a Atenas da Índia no dizer dos orientalistas, repousava muito prosaicamente no solo, e Passepartout pôde por um instante entrever suas casas de tijolos, suas choças de cana, que lhe davam um aspecto de absoluta desolação, sem nenhuma cor local.

Era ali que devia ficar Sir Francis Cromarty. As tropas a que se reunia acampavam a algumas milhas ao norte da cidade. O general de brigada deu adeus a Phileas Fogg, desejando-lhe o melhor êxito possível, e exprimindo o voto de que voltasse a fazer esta viagem de um modo menos original, mas mais proveitoso. Sr. Fogg apertou levemente os dedos do seu companheiro. Os cumprimentos de Sra. Aouda foram mais afetuosos. Jamais esqueceria o que devia a Sir Francis Cromart. Quanto a Passepartout, foi honrado com um verdadeiro apertão de mão do general de brigada. Todo emocionado, perguntou-lhe onde e quando se poderia devotar a ele. Afinal separaram-se.

A partir de Benares, a via férrea seguia em parte o vale do Ganges. Através dos vidros do vagão, por um tempo muito claro, aparecia a paisagem variada do Béhar, depois montanhas cobertas de vegetação, os campos de cevada, de milho e de trigo, rios e tanques povoados por crocodilos esverdeados, aldeias bem conservadas, florestas ainda verdejantes.

Alguns elefantes, zebus de grandes corcovas vinham banhar-se nas águas do rio sagrado, e também, apesar da estação avançada e a temperatura já fria, grupos de indianos de ambos os sexos, que cumpriam piedosamente suas santas abluções. Estes fiéis, inimigos encarniçados do budismo, são seguidores fervorosos da religião bramânica, que se encarna em três pessoas: Vixnu, a divindade solar; Siva, a personificação divina das forças naturais; e Brama, o senhor supremo dos sacerdotes e dos legisladores. Mas, com que olhos deveriam Brama, Siva e Vixnu considerar esta Índia, agora – britanizada – quando algum barco a vapor passava, uivando e agitando as águas consagradas do Ganges, espantando as gaivotas que voavam sobre sua superfície, as tartarugas que pululavam em suas bordas, e os devotos deitados ao longo das suas margens!

Todo este panorama desfilava como um relâmpago, e por vezes uma nuvem de vapor branco lhe ocultava os detalhes. Os viajantes mal puderam entrever o forte de Chunar, a vinte milhas o sudeste de Benares, antiga fortaleza dos rajás do Béhar, Ghazepour e suas importantes fábricas de água de rosa, o túmulo de Lord Cornwallis que se eleva sobre a margem esquerda do Ganges, a cidade fortificada de Buxar, Patna, grande cidade industrial e comercial, onde fica o principal mercado de ópio da Índia, Monghir, cidade mais que europeia, inglesa como Manchester ou Birmingham, famosa por suas fundições de ferro, serralherias e fábricas de armas brancas, cujas altas chaminés escureciam com uma fumaça negra o céu de Brama – um verdadeiro murro no país do sonho!

Veio a noite e, em meio do uivar dos tigres, dos ursos, dos lobos que fugiam diante da locomotiva, o trem passou a toda velocidade, e nada mais se pode ver das maravilhas de Bengala, nem Golgonda, nem Gour em ruína, nem Mourshedabad, que foi em outros tempos capital, nem Burdwan, nem Hougly, nem Chandernagor, ponto francês do território indiano sobre o qual Passepartout teria tido o orgulho de ver tremular a bandeira da sua pátria!

Finalmente, às sete da manhã, chegaram a Calcutá. O navio, de partida para Hong Kong, só levantaria âncora ao meio-dia. Phileas Fogg tinha, pois, cinco horas pela frente.

De acordo com seu roteiro, este cavalheiro deveria chegar à capital das Índias em 25 de outubro, vinte e três dias após ter saído de Londres, e ali chegava no dia fixado. Não havia, pois, nem atraso nem avanço. Infelizmente, os dois dias ganhos por ele entre Londres e Bombaim tinham sido perdidos, sabemos como, na travessia da península indiana – mas é de supor que Phileas Fogg não os lamentasse.

Capítulo 15

A sacola de dinheiro fica aliviada de milhares de libras

O trem tinha parado na estação. Passepartout foi o primeiro a descer do vagão, e foi seguido por Sr. Fogg, que ajudou sua jovem amiga a colocar o pé na plataforma. Phileas Fogg esperava dirigir-se diretamente ao navio para Hong Kong, para instalar ali confortavelmente a Sra. Aouda, a quem não queria deixar, enquanto estivesse nesta terra tão perigosa para ela.

No momento em que Sr. Fogg ia sair da estação, um policial aproximou-se e disse:

– Senhor Phileas Fogg?

– Sou eu.

– Este homem é seu criado? – quis saber o policial, apontando Passepartout.

– Sim.

– Queiram seguir-me.

Sr. Fogg não fez nenhum movimento que pudesse revelar qualquer surpresa. Aquele agente era um representante da lei, e, para qualquer inglês, a lei é sagrada. Passepartout, com os seus hábitos franceses, queria discutir, mas o policial tocou nele com seu bastão, e Phileas Fogg lhe fez sinal para obedecer.

– Esta jovem dama pode acompanhar-nos? – perguntou Sr. Fogg.

– Pode, respondeu o policial.

O policial conduziu Sr. Fogg, Sra. Aouda e Passepartout até um veículo de quatro rodas e quatro lugares, atrelado a dois cavalos.

Partiram. Ninguém falou durante o trajeto, que durou uns vinte minutos.

O veículo atravessou primeiro a “cidade negra”, com ruas estreitas, ladeadas por calçadas em que formigava uma população cosmopolita, imunda e andrajosa; depois passou pela cidade europeia, alegrada com casas de tijolo, ensombrada por coqueiros, eriçada de mastros, por entre os quais trotavam, apesar da hora matinal, cavaleiros elegantes e magníficas montarias.

O veículo parou na frente de uma habitação de aparência simples, mas que não deveria se destinar a usos domésticos. O policial fez descer seus prisioneiros – podemos a rigor lhes dar este nome– e os conduziu a uma dependência com janelas gradeadas, dizendo:

– É às oito horas e meia que comparecerão perante o juiz Obadiah. Depois retirou-se e fechou a porta.

– Estamos presos! – exclamou Passepartout, deixando-se cair numa cadeira.

Sra. Aouda, dirigindo-se logo a Sr. Fogg, disse-lhe com uma voz da qual procurava em vão disfarçar a emoção:

– Senhor, é preciso me abandonar! É por minha causa que o perseguem! É porque me salvaram!

Phileas Fogg contentou-se em responder que isso não era possível. Perseguido por esse assunto do sati! Inadmissível! Como os queixosos se atreveriam a se apresentar? Havia engano. Sr. Fogg acrescentou que, fosse como fosse, não abandonaria a jovem, e a conduziria a Hong Kong.

– Mas o barco parte ao meio-dia! – observou Passepartout.

Antes do meio-dia estaremos no navio, respondeu simplesmente o impassível cavalheiro.

Isto foi afirmado tão assertivamente, que Passepartout não pôde deixar de se dizer:

– Caramba! É mais que certo! Antes do meio-dia estaremos a bordo!

Mas não estava tão convencido assim.

Às oito e meia, a porta da sala se abriu. O policial reapareceu, e introduziu os presos na sala ao lado. Era uma sala de audiência, e um público bastante numeroso, composto de europeus e de nativos já ocupava o pretório.

Sr. Fogg, Sra. Aouda e Passepartout sentaram -se em um banco defronte aos lugares reservados ao magistrado e ao escrivão.

O juiz Obadiah entrou quase imediatamente, seguido pelo escrivão. Era um homem grande todo redondo. Pegou uma peruca pendurada numa chapeleira e se cobriu com ela rápida e decididamente.

– A primeira causa, disse. Mas, levando a mão à cabeça:

– Epa! Esta não é a minha peruca!

– Com efeito, senhor Obadiah, é a minha, respondeu o escrivão.

– Caro senhor Oysterpuf, como quer que o juiz possa proferir uma boa sentença com a peruca de um escrivão?

A troca das perucas foi feita. Durante estas preliminares, Passepartout fervia de impaciência, porque o ponteiro lhe parecia andar terrivelmente rápido sobre o mostrador do grande relógio do tribunal.

– A primeira causa, retomou o juiz Obadiah.

– Phileas Fogg? – disse o escrivão Oysterpuf.

– Estou aqui, respondeu Sr. Fogg.

– Passepartout?

– Presente! – respondeu Passepartout.

– Há dois dias, acusados, que os procuramos em todos os trens de Bombaim – disse o juiz Obadiah.

– Mas de que nos acusam? – gritou Passepartout, impaciente.

– Vai saber! – respondeu o juiz.

– Senhor – disse Sr. Fogg –, sou cidadão inglês, e tenho direito...

– Faltaram-lhe com respeito? – perguntou Sr. Obadiah.

– De modo algum.

– Ouviu? – perguntou o juiz a Phileas Fogg.

– Confesso e espero que estes três sacerdotes por sua vez também confessem o que queriam fazer no pagode de Pillaji.

Os sacerdotes se entreolharam. Pareciam não compreender nada das palavras do acusado.

– Bombaim? – exclamou Passepartout.

– Meus sapatos! – gritou Passepartout.

– Confessados, respondeu friamente Sr. Fogg.

– Silêncio! – exclamou o oficial com voz esganiçada.

– É seu direito, respondeu o juiz.

Fix sentiu um frio na espinha, mas recobrou a segurança, quando ouviu o juiz, "tendo em vista a qualidade de estrangeiros de Phileas Fogg e de seu criado", fixar a fiança para cada um deles na enorme quantia de mil libras. Custaria duas mil libras a Phileas Fogg, se não purgasse sua condenação.

– Ótimo! – façam entrar os queixosos.

À ordem do juiz, abriu-se uma porta, e três sacerdotes hindus foram introduzidos por um oficial.

– Sim, senhor, respondeu Sr. Fogg consultando seu relógio, e confesso.

– Sem dúvida! – exclamou impetuosamente Passepartout, no pagode de Pillaji, diante do qual eles iam queimar sua vítima!

Nova estupefação dos sacerdotes, e profundo espanto do juiz Obadiah.

– Sem dúvida. Não se trata do pagode de Pillaji, mas do pagode de Malebar Hill, em Bombaim.

– Meus sapatos! – gritou Passepartout, que, extremamente surpreso, não pôde conter esta exclamação involuntária.

Adivinhem a confusão que se operou no espírito do patrão e do criado. O incidente do pagode de Bombaim, eles o tinham esquecido, e era exatamente este que os levava perante o magistrado de Calcutá.

Com efeito, o agente Fix tinha compreendido todo o partido que poderia tirar deste malfadado acontecimento. Atrasando sua partida em doze horas, arvorara- se em conselheiro dos sacerdotes de Malebar Hill. Tinha prometido para eles indenizações consideráveis, sabendo bem que o governo inglês se mostrava muito severo para este gênero de delito. No trem seguinte, os tinha lançado na pista do sacrílego. Mas, devido ao tempo empregado no resgate da jovem viúva, Fix e os hindus chegaram a Calcutá antes de Phileas Fogg e seu criado, que os magistrados, prevenidos por despacho, deveriam prender quando descessem do trem. Avaliem o desapontamento de Fix, quando soube que Phileas Fogg não havia chegado ainda à capital da Índia. Deveria ter acreditado que o seu ladrão, parando em uma das estações do Peninsular Railway, tinha se refugiado nas províncias setentrionais. Por vinte e quatro horas, em meio a mortais inquietudes, Fix o aguardou na estação. Qual não foi sua alegria quando, naquela manhã, o viu descer do vagão, em companhia, é verdade, de uma jovem cuja presença não podia explicar. Imediatamente lançou sobre ele um policial, e eis como Sr. Fogg, Passepartout e a viúva do rajá do Bundelkund foram conduzidos perante o juiz Obadiah.

E se Passepartout tivesse estado menos preocupado com seu caso, teria percebido, em um canto do pretório, o detetive, que acompanhava o debate com um interesse fácil de se compreender – porque em Calcutá, como em Bombaim, como em Suez, o mandado de prisão faltava-lhe ainda!

Neste interim, o juiz Obadiah fizera constar em ata a confissão que deixara escapar Passepartout, o qual teria dado tudo o que possuía para poder retirar suas palavras imprudentes.

– Tendo em vista, retomou o juiz, que a lei inglesa entende proteger igual e rigorosamente todas as religiões das populações da Índia, o delito tendo sido confessado pelo senhor Passepartout, convicto de ter violado com pé sacrílego o pavimento do pagode de Malebar Hill, em Bombaim, no dia 20 de outubro, condeno o supramencionado Passepartout a quinze dias de prisão e a uma multa de trezentas libras.

– E, acrescentou o juiz Obadiah, visto que não está materialmente provado que não houve conivência entre criado e o patrão, mas que em todo caso este deve ser considerado responsável pelos gestos de um servidor a seus cuidados, retém o citado Phileas Fogg e o condena a oito dias de prisão e cento e cinquenta libras de multa. Escrivão, chame outro caso!

Fix, do seu canto, experimentava uma indizível satisfação. Phileas Fogg retido oito dias em Calcutá, era mais que suficiente para dar ao mandado tempo de chegar.

Passepartout estava aturdido. Esta condenação arruinava seu patrão. Uma aposta de vinte mil libras perdida, e tudo porque ele, como um verdadeiro paspalho, tinha entrado naquele maldito pagode!

Phileas Fogg, tão senhor de si como se a condenação não lhe dissesse respeito, nem mesmo franzira a sobrancelha. Mas no momento em que o escrivão ia chamar outro caso, levantou-se e disse:

– Pago! – disse o cavalheiro.

E da sacola que Passepartout trazia, retirou um maço de dinheiro que depositou sobre a mesa do escrivão.

– É isso! – murmurou Passepartout, são aqueles velhacos que queriam queimar a nossa jovem dama!

Os sacerdotes perfilaram-se diante do juiz, e o escrivão leu em voz alta uma acusação de sacrilégio, formulada contra o senhor Phileas Fogg e o seu criado, acusados de ter violado um lugar consagrado à religião bramânica.

– Ah! Confessa?

– Que vítima? – perguntou. Queimar quem? Em plena cidade de Bombaim:

– E como prova, eis os sapatos do profanador, acrescentou o escrivão, pondo um par de calçados sobre sua mesa.

– Confessam os fatos? – disse o juiz.

–Trezentas libras? – gritou Passepartout, que só estava verdadeiramente sensível à multa.

– Ofereço fiança.

– Esta soma lhe será restituída quando sair da prisão, disse o juiz. Enquanto esperam, estão livres sob fiança.

– Venha, disse Phileas Fogg a seu criado.

– Mas, ao menos, me devolvam os sapatos! – exclamou Passepartout com um movimento de raiva.

Foram restituídos os sapatos.

– E olha que custaram caro! – murmurou ele. Mais de mil libras cada um! Sem contar que me machucam!

Passepartout, absolutamente pesaroso, seguiu Sr. Fogg, que havia oferecido o braço à jovem. Fix esperava ainda que seu ladrão não resolvesse abandonar esta soma de duas mil libras e cumprisse os oito dias de prisão. Lançou-se pois ao encalço de Fogg.

Sr. Fogg tomou um veículo, para a qual Sra. Aouda, Passepartout e ele logo subiram. Fix correu atrás do veículo, que logo parou num dos cais da cidade.

A meia milha ao largo, o Rangoon estava ancorado, sua bandeira de partida içada no topo do mastro. Soavam onze horas. Sr. Fogg estava adiantado uma hora. Fix o viu descer do veículo e embarcar numa canoa com Sra. Aouda e o criado. O detetive bateu o pé no chão. Exclamou:

– Pilantra! Duas mil libras sacrificadas! Pródigo como um ladrão! Ah! Seguirei até o fim do mundo se preciso for; mas no passo que vai, todo o dinheiro do roubo terá acabado!

O inspetor de polícia tinha fundamento em sua reflexão. Com efeito, desde que tinha saído de Londres, tanto em despesas de viagem quanto em gratificações, na compra do elefante, nas fianças e na multa, Phileas Fogg já semeara pelo caminho mais de cinco mil libras, e o tanto por cento da soma encontrada, atribuído aos detetives, ia sempre diminuindo.

Capítulo 16

Fix parece não saber nada do que lhe dizem

O Rangoon, um dos navios que a companhia peninsular e oriental emprega no serviço dos mares da China e do Japão, era um vapor de ferro, de hélice, deslocando mil setecentas e setenta toneladas, e com força nominal de quatrocentos cavalos. Igualava o Mongólia em velocidade, mas não em conforto. Assim, Sra. Aouda não ficou tão bem instalada quanto Phileas Fogg teria desejado. Afinal, tratava-se apenas de uma travessia de 3.500 milhas, ou seja, de onze a doze dias, e a jovem não se mostrava uma passageira difícil.

Durante os primeiros dias da travessia, Sra. Aouda travou conhecimento mais amplo com Phileas Fogg. Em todas as oportunidades, lhe demonstrava sua mais profunda gratidão. O fleumático cavalheiro a escutava, aparentemente ao menos, com a mais extrema frieza, sem que uma entoação, um gesto revelasse nele a mais leve emoção. Velava para que não faltasse nada à jovem. A certas horas, vinha regularmente, se não para conversar, pelo menos para escutá-la. Cumpria para com ela os deveres da mais estrita polidez, mas com a graça de um autômato cujos movimentos tivessem sido combinados para esse fim. Sra. Aouda não sabia o que pensar, mas Passepartout lhe havia explicado um pouco a excêntrica personalidade do patrão. Havia-lhe contado que compromisso arrastava o cavalheiro ao redor do mundo. Sra. Aouda havia sorrido; mas afinal devia-lhe a vida, e o seu salvador nada podia perder pelo fato de ela o ver através do seu reconhecimento.

Sra. Aouda confirmou a narrativa que o guia hindu havia feito de sua tocante história. Era, com efeito, dessa raça que ocupa o primeiro lugar entre as raças indianas. Muitos negociantes parsis tinham feito grandes fortunas nas Índias, no comércio de algodão. Um deles, sir James Jejeebhoy, recebeu do governo inglês título de nobreza, e Sra. Aouda era parente deste rico personagem que habitava em Bombaim. Era mesmo um primo de Sir Jejeebhoy, o honrado Jejeeh, que ela contava encontrar em Hong Kong. Encontraria junto a ele refúgio e assistência? Não o podia afirmar. Ao que Sr. Fogg respondia que ela não tinha por que se inquietar, e que tudo se arranja matematicamente! Foi a palavra que usou.

Compreenderia a jovem este termo? Não sabemos. Contudo, seus grandes olhos fixaram-se nos de Sr. Fogg, seus grandes olhos "límpidos como os lagos sagrados da Himalaia"! Mas o intratável Fogg, mais fechado do que nunca, não parecia homem de se lançar neste lago.

A primeira parte da travessia do Rangoon foi concluída em condições excelentes. O tempo estava favorável. Toda a porção da imensa baía que os marinheiros chamam de os "braços de Bengala" mostrou-se favorável à marcha do navio. O Rangoon logo avistou a Grande Andaman, a mais importante das ilhas da baía de Bengala, que sua pitoresca montanha de Saddle Peak, com a altura 2.400 pés, assinala de bem longe aos navegantes.

A costa foi seguida bem de perto. Os selvagens papuas da ilha não se mostraram. São seres colocados no último degrau da escala humana, mas não antropófagos, como se diz.

O panorama destas ilhas era incrível. Imensas florestas de palmeiras, bambus, de moscadeiras, samambaias gigantescas, de brotos arborescentes cobriam a região em primeiro plano, e ao fundo se alinhava uma elegante silhueta das montanhas. Sobre a costa pululavam aos milhares preciosas andorinhas, cujos ninhos comestíveis constituem um manjar muito apreciado no império celeste. Mas todo esse espetáculo variado, oferecido à vista pelo grupo das Andaman, passou depressa, e o Rangoon seguiu rapidamente para o estreito de Malaca, que devia dar acesso aos mares da China.

Que fazia durante esta travessia o inspetor Fix, tão desventuradamente arrastado numa viagem de circum-navegação? Ao partir de Calcutá, após ter deixado instruções para que o mandado de prisão, se afinal chegasse, lhe fosse enviado para Hong Kong, tinha conseguido embarcar a bordo do Rangoon sem ser visto por Passepartout, e esperava dissimular sua presença até a chegada do navio. Com efeito, teria sido difícil explicar a razão por que se achava a bordo, sem despertar as suspeitas de Passepartout, que devia crer que ainda estava em Bombaim. Mas foi levado a renovar seu conhecimento como fiel rapaz, pela lógica das circunstâncias. Vejamos como.

Todas as esperanças, todos os desejos do inspetor de polícia, estavam agora concentrados em um único ponto do mundo: Hong Kong. O navio pararia muito pouco em Cingapura para que ele pudesse operar nesta cidade. Era em Hong Kong que a prisão do ladrão deveria se efetuar, ou o ladrão lhe escaparia para sempre.

Hong Kong era ainda uma terra inglesa, mas a última que se encontrava no percurso. Para além, a China, o Japão e a América ofereciam um refúgio um pouco mais seguro para o senhor Fogg. Em Hong Kong, se ali afinal encontrasse o mandado de prisão que corria evidentemente atrás dele, Fix prenderia Fogg, e o colocaria nas mãos da polícia local. Nenhuma dificuldade. Mas após Hong Kong, não bastaria um simples mandado de prisão. Seria preciso um ato de extradição. E adviriam demoras, lentidões, obstáculos de toda natureza, de que o tratante se aproveitaria para escapar definitivamente. Se a operação falhasse em Hong Kong, se tornaria se não impossível, pelo menos bem difícil recomeçá-la com qualquer probabilidade de êxito.

– Portanto, repetia Fix durante as longas horas que passava em sua cabina, portanto, ou o mandado de prisão estará em Hong Kong e prendo meu homem, ou não estará, e desta vez será preciso a qualquer custo que atrase sua partida! Fracassei em Bombaim, fracassei em Calcutá! Se o mesmo acontecer em Hong Kong, adeus reputação! Custe o que custar, preciso conseguir. Mas que meio empregar para atrasar, se for necessário, a partida desse maldito Fogg?

Como último recurso, Fix estava bem decidido a abrir o jogo com Passepartout, a dar-lhe a conhecer o patrão a quem servia e de quem não era certamente cúmplice.

Passepartout, esclarecido por esta revelação, temendo ser comprometido, passaria sem dúvida para o lado de Fix. Mas afinal era um meio arriscado, que só poderia ser usado como último recurso. Uma palavra de Passepartout ao seu patrão seria suficiente para comprometer irremediavelmente tudo.

O inspetor de polícia estava extremamente embaraçado, quando a presença de Sra. Aouda a bordo do Rangoon, em companhia de Phileas Fogg, lhe abriu novas perspectivas.

– Quem era esta mulher? Que soma de circunstâncias a fizera companheira de viagem de Fogg? Fora evidentemente entre Bombaim e Calcutá que o encontro se dera. Mas em que ponto da península? Seria o acaso que reunira Phileas Fogg e a jovem viajante? Ou esta viagem através da Índia teria sido feita pelo cavalheiro unicamente para encontrar aquela sedutora criatura? Porque era sedutora! Fix a tinha visto muito bem na sala de audiência do tribunal de Calcutá.

É fácil compreender a que ponto o agente deveria estar intrigado. Perguntava-se se nesta história toda não haveria algum rapto criminoso. Sim! Devia ser isso. Esta ideia arraigou-se no cérebro de Fix, e reconheceu todas as vantagens que poderia tirar desta circunstância. Fosse ou não casada a jovem, haveria rapto, e seria possível, em Hong Kong, suscitar tais embaraços ao raptor, tais que não pudesse safar-se deles com dinheiro.

Mas não convinha esperar a chegada do Rangoon a Hong Kong. Este Fogg tinha o hábito detestável de saltar de um barco para outro, e, antes que o plano começasse a ser executado, ele poderia já estar longe.

O importante era prevenir as autoridades inglesas e dar a descrição do passageiro do Rangoon antes de seu desembarque. Ora, isso seria muito fácil, já que o navio fazia escala em Cingapura, e Cingapura está ligada à costa chinesa por um fio telegráfico.

Antes de agir, e para operar mais seguramente, Fix resolveu interrogar Passepartout. Sabia que não era muito difícil fazer o rapaz falar, e decidiu-se a romper o incógnito que guardara até então. Ora, não havia tempo a perder.

Estavam em 31 de outubro, e no dia seguinte o Rangoon deveria aportar em Cingapura.

Portanto, nesse dia, Fix, saindo da sua cabina, subiu ao convés, com a intenção de abordar Passepartout "primeiro", com mostras da mais extrema surpresa.

Passepartout passeava tranquilamente pela proa, quando o inspetor se precipitou em sua direção, exclamando:

– Você, no Rangoon!

– Senhor Fix a bordo! – respondeu Passepartout, absolutamente surpreso, ao reconhecer seu companheiro de travessia *do Mongólia*. Puxa! Deixei-o em Bombaim, e venho reencontrá-lo a caminho de Hong Kong! Faz também a volta ao mundo?

– Não, não, respondeu Fix, e espero ficar em Hong Kong, ao menos por alguns dias.

– Ah! – disse Passepartout, que pareceu por um instante surpreso. Mas como não o tinha visto ainda no navio desde nossa partida de Calcutá?

– Mal-estar, um pouco de enjoo... Fiquei deitado na minha cabina... O golfo de Bengala não me tratou tão bem quanto o oceano Índico. E seu patrão, Sr. Phileas Fogg?

– Em perfeita saúde e tão pontual quanto o itinerário. Ah, Sr. Fix, também temos a companhia de uma jovem senhora.

– Uma jovem senhora? – respondeu o agente, fingindo não compreender o que o seu interlocutor queria dizer.

Mas Passepartout logo o pôs ao par da história. Contou-lhe o incidente do pagode de Bombaim, a aquisição do elefante pela quantia de duas mil libras, o caso do sati, o rapto de Aouda, a condenação do tribunal de Calcutá, a liberdade sob fiança. Fix, que conhecia a última parte destes incidentes, parecia ignorar todos, e Passepartout deixava-se arrastar pelo prazer de narrar suas aventuras a um ouvinte tão atento.

– Mas pretendem levar essa senhora para a Europa?

– Não, senhor. Nós simplesmente levaremos até um parente dela, um rico comerciante de Hong Kong.

– Nada a fazer... – observou o detetive, sem esconder a sua decepção. E que tal um copo de gim, Sr. Passepartout?

– Com prazer, Sr. Fix. O mínimo que podemos fazer é brindar nosso reencontro no Rangoon!

Capítulo 17

Fatos da travessia de Cingapura para Hong Kong

Desde esse dia, Passepartout e o detetive se encontraram frequentemente, mas o agente mantinha-se em uma extrema reserva em relação ao companheiro, e nem tentou fazê-lo falar. Uma ou duas vezes apenas, entrevira Sr. Fogg, que preferia ficar no grande salão do Rangoon, fazendo companhia a Sra. Aouda, ou jogando whist, seguindo seu invariável costume.

Uma ou duas vezes apenas...

Quanto a Passepartout, tinha-se posto a meditar muito seriamente no estranho acaso que havia colocado, mais uma vez, Fix no caminho de seu patrão. E, com efeito, qualquer um teria se admirado por muito menos. Este cavalheiro, muito amável, muito solícito com certeza, que se encontra em Suez, que em barca no Mongólia, que desembarca em Bombaim, onde disse dever ficar, que se reencontra no Rangoon, fazendo viagem para Hong Kong, numa palavra, seguindo passo a passo o roteiro de Sr. Fogg, era coisa em que valia a pena refletir. Havia aí uma coincidência pelo menos bizarra. O que pretendia este Fix? Passepartout estava pronto a apostar as suas babuchas – ele as havia preciosamente conservado – que Fix deixaria Hong Kong ao mesmo tempo que eles, e provavelmente no mesmo navio.

Passepartout poderia ter refletido por um século, que não teria jamais adivinhado de que missão o agente fora encarregado. Jamais seria capaz de imaginar que Phileas Fogg fosse "espionado", como um ladrão, à volta do globo terrestre. Mas como está na natureza humana arranjar explicação para tudo, eis como Passepartout, subitamente iluminado, interpretou a presença permanente de Fix, e, de fato, sua interpretação era bastante plausível. Com efeito, segundo ele, Fix não era nem podia ser senão um agente lançado no rasto de Sr. Fogg pelos seus colegas do Reform Club, para verificar se a viagem se fazia regularmente em volta ao mundo, segundo o roteiro com binado.

– É evidente! É evidente! – repetia para si o bom rapaz, todo vaidoso da sua perspicácia. É um espião que aqueles cavalheiros colocaram em nosso encalço! Mas isso não é digno! Sr. Fogg, tão íntegro, tão respeitável! Usarem um agende para espioná-lo! Ah! Senhores do Reform Club, isso lhes custará caro!

Passepartout, encantado com a sua descoberta, resolveu, porém, nada dizer ao patrão, receando que ele se ofendesse com a desconfiança dos seus adversários. Mas jurou zombar de Fix na primeira oportunidade, com palavras enrustidas e sem se com prometer.

Na quarta-feira, 30 de outubro, após o meio-dia, o Rangoon apontou no estreito de Malaca, que separa a quase ilha deste nome das terras de Sumatra. Ilhotas montanhosas muito escarpadas, muito pitorescas, roubavam dos passageiros a vista da grande ilha.

No dia seguinte, às quatro horas, o Rangoon, tendo ganho meio-dia sobre sua travessia regulamentar, aportava em Cingapura, para aí renovar sua provisão de carvão.

Phileas Fogg inscreveu este avanço na coluna dos ganhos, e, desta vez, saltou em terra, acompanhando Sra. Aouda que havia manifestado o desejo de passear por algumas horas.

Fix, para quem qualquer ação de Fogg parecia suspeita, seguiu-o sem se deixar ver. Passepartout foi fazer as compras de costume.

A ilha de Cingapura não tem um aspecto grande ou imponente. Faltam montanhas para compor o perfil, mas o lugar é encantador. É um parque cortado por belas estradas. Uma bela condução, atrelada a elegantes cavalos que tinham sido importados da Nova Holanda, transportou Sra. Aouda e Phileas Fogg por entre massas de palmeiras com brilhante folhagem, e de árvores de cravo cujos frutos são formados pelo botão mesmo da flor entreaberta. Os capões de pimenteiras substituíam as sebes espinhosas das campinas europeias. Os sagueiros, grandes palmeiras com a sua esplêndida ramagem, variavam o aspecto desta região tropical; as moscadeiras de folhagem envernizada saturavam o ar com um perfume penetrante. Os macacos, bandos ágeis e careteiros, não faltavam nos bosques, nem talvez os tigres nas selvas.

A quem se admirar ao saber que nesta ilha, relativamente tão pequena, estes terríveis carnívoros ainda não tenham sido exterminados, responderemos que vêm de Malaca, atravessando o estreito a nado.

Depois de terem percorrido o campo por duas horas, Sra. Aouda e seu companheiro – que olhava quase sem ver – voltaram à cidade, vasta aglomeração de casas toscas e baixas, rodeadas por formosos jardins onde crescem mangas, os ananases e todos os melhores frutos do mundo.

Às dez horas, voltaram para o navio, depois de terem sido seguidos, sem suspeitarem, pelo inspetor que também fora obrigado a arcar com as despesas de um transporte.

Passepartout esperava-os no convés do Rangoon. Comprara algumas dúzias de mangas, de bom tamanho, amarronzado por fora, de um vermelho muito vivo por dentro, e cujo fruto branco, ao desfazer-se entre os lábios, proporciona um prazer sem igual. Passepartout teve o prazer de as oferecer a Sra. Aouda, que agradeceu graciosamente.

Às onze horas, o Rangoon, com a provisão completa de carvão, largava suas amarras, e, algumas horas depois, os passageiros perdiam de vista as altas montanhas de Malaca, cujas florestas abrigam os mais belos tigres da terra. Cerca de 1.300 milhas separam Cingapura da ilha de Hong Kong, pequeno território inglês destacado da costa chinesa. Phileas Fogg tinha interesse em percorrê-las no espaço de seis dias no máximo, para tomar em Hong Kong o vapor que deveria partir a 6 de novembro para Yokohama, um dos principais portos do Japão.

O Rangoon estava muito carregado. Muitos passageiros tinham embarcado em Cingapura: Hindus, ceilandeses, chineses, malaios, portugueses, que, na maioria, ocupavam a segunda classe.

Com a mudança da lua o tempo que era bom mudou. O vento soprou algumas vezes bem forte, mas felizmente do sudeste, o que favorecia o andamento do vapor. Quando se prestava a isso, o capitão largava o pano. O Rangoon navegou frequentemente com suas duas velas e sua mezena, e sua rapidez aumentou sob a dupla ação do vapor e do vento. Foi assim que costeou, com o mar às vezes picado, as costas de Anam e da Cochinchina.

A culpa era mais do Rangoon do que do mar, e era ao navio que os passageiros, a maior parte dos quais passou mal, deveriam se queixar desta fadiga. Essas embarcações da companhia peninsular, que fazem o serviço dos mares da China, têm um sério defeito de construção. A proporção entre a água que desloca e a sua capacidade de carga foi mal calculada, e por isso pouca resistência oferece ao mar. O seu volume, fechado, impenetrável à àgua, é insuficiente. Afogam-se, para usar a expressão marítima, e, em consequência desta disposição, basta meterem alguma água para que se lhes modifique o andamento.

O mau tempo, portanto, exigia grandes precauções. Era preciso muitas vezes meter a capa sobre o pequeno vapor. Era uma perda de tempo que de modo algum parecia afetar Phileas Fogg, mas com a qual Passepartout se mostrava extremamente irritado. Acusava o capitão, o maquinista, a companhia, e enviava ao diabo todos os que se metiam a transportar viajantes. Talvez também a lembrança do bico de gás, que estava a arder por sua conta na casa de Saville Row concorresse muito para a sua impaciência.

– Está com muita pressa para chegar a Hong Kong? – perguntou o detetive.

– Muita pressa! – respondeu Passepartout

– Sr. Fogg também tem pressa de tomar o navio de Yokohama?

– Uma pressa terrível.

– E você acredita nessa estranha aventura ao redor do mundo?

– Eu? De modo algum! E o senhor?

– Também não.

– Farsante! – disse Passepartout, completando:

– Ah! Se nos acompanhasse, seria uma felicidade para mim. Um agente da Companhia peninsular não pode parar no caminho. Só ia até Bombaim, e logo estará na China! A América não fica longe, e da América à Europa é um passinho!

Fix olhou atentamente seu interlocutor, que lhe mostrava a cara mais amável do mundo, e decidiu rir junto. Mas este, que estava inspirado, perguntou-lhe se "aquele ofício rendia muito".

Sem piscar, respondeu:

– Sim e não, há negócios bons e ruins... Eu não viajo por minha conta.

A conversa deixou o agente cismado. O qualificativo o inquietou, sem que soubesse bem por que. O francês teria adivinhado? Não sabia mais o que pensar. Mas sua qualidade de detetive, da qual só ele tinha o segredo, como Passepartout poderia tê-la reconhecido? E, contudo, falando-lhe assim, Passepartout tivera certamente segunda intenção.

Quando a conversa terminou, Fix voltou para sua cabine e começou a pensar. De um jeito ou de outro, o francês reconheceu sua qualidade como detetive. Mas ele havia avisado seu patrão? Ele era cúmplice ou não? O agente passou algumas horas difíceis, às vezes acreditando que tudo estava perdido, às vezes esperando que Fogg desconhecesse a situação e, finalmente, não soubesse que curso tomar.

A calma se restabeleceu em seu cérebro, e ele resolveu agir com Passepartout. Se ele não estava em condições adequadas para prender Fogg em Hong Kong, e se Fogg se preparasse para deixar o território britânico por uma vez, ele diria tudo para Passepartout. Se era o cúmplice de seu mestre o assunto estava definitivamente comprometido. Se ele não tinha nada como roubo, então seu interesse seria abandonar o ladrão.

Acima da situação desses dois homens, Phileas Fogg estava pairando em sua indiferença majestosa. Seguia racionalmente sua órbita em torno do mundo, sem se preocupar com os asteroides que gravitavam em torno dele.

Mas havia - como os astrônomos apontavam - uma estrela perturbadora que deveria ter produzido certas perturbações no coração desse cavalheiro. Mas não! O encanto da Sra. Aouda não agiu, para a grande surpresa de Passepartout, e os distúrbios, se existiam, teriam sido mais difíceis de calcular do que os de Urano com a descoberta de Netuno.

Foi um espanto todos os dias para Passepartout, que leu tanta gratidão ao seu patrão nos olhos da jovem mulher! Decididamente, Phileas Fogg não tinha mais coração do que o que demorou para se comportar heroicamente, mas amorosamente, não! Quanto às preocupações que as chances dessa jornada poderiam dar lugar nele, não havia nenhum vestígio delas.

Passepartout, um dia, apoiado na grade da sala das máquinas, olhou para a poderosa máquina que às vezes era levada, quando, em um violento movimento de arremesso, a hélice entrou em pânico pelas ondas. O vapor estava fluindo através das válvulas, o que provocava a ira do digno companheiro.

– Eles não estão suficientemente carregados, essas válvulas! Estes são os ingleses! Ah! Se fosse um navio americano, poderíamos pular, mas iremos mais rápido!

Capítulo 18

Phileas Fogg, Passepartout e Fix cuidam dos negócios

Durante os últimos dias da viagem, o tempo estava bastante ruim. O vento tornou-se muito forte. Corrigido na parte noroeste, ele neutralizou o curso do vapor. O Rangoon, muito instável, balançou consideravelmente, e os passageiros ressentiram.

Durante os dias 3 e 4 de novembro, foi uma espécie de tempestade. A tempestade atingiu o mar com veemência. O Rangoon teve que colocar a capa por meio dia, mantendo-se com apenas dez voltas de hélice, de modo a prejudicar as lâminas. Todas as velas haviam sido apertadas, e ainda era muito do equipamento que assobiava no meio das rajadas.

A velocidade foi consideravelmente diminuída, e pode-se estimar que ele chegaria a Hong Kong 20 horas atrás do tempo prescrito e ainda mais se a tempestade não cessasse.

Phileas Fogg estava presente neste espetáculo de um mar furioso, que parecia lutar diretamente contra ele, com sua impassibilidade habitual. Sua sobrancelha não escureceu por um momento, e ainda assim um atraso de vinte horas poderia comprometer sua jornada. Mas este homem sem nervos não sentiu nem impaciência nem tédio. Realmente parecia que esta tempestade estava no seu programa, que estava planejado. Senhora Aouda, que falou com seu companheiro sobre esse revés, achou-o tão calmo quanto antes.

Finalmente, o céu, com suas rajadas e torres, entrou em seu jogo. Ele estava um pouco doente, mas o que importa? Ele não considerou sua náusea, e quando seu corpo torceu sob a maresia, sua mente tinha imensa satisfação.

Quanto ao Passepartout, a tempestade o exasperou, provocou a raiva, e com prazer teria chicoteado aquele mar desobediente! Pobre rapaz! Se Passepartout tivesse adivinhado o contentamento secreto de Fix, Fix teria passado um belo quarto de hora.

Passepartout, durante toda a tempestade, permaneceu no convés do Rangoon. Ele subiu ao mastro, surpreendeu a equipe e ajudou tudo com habilidade de macaco. Cem vezes ele questionou o capitão, os oficiais, os marinheiros, que não podiam deixar de rir quando viram um jovem tão desconcertado. Passepartout queria saber o tempo que duraria a tempestade. Ele foi então enviado de volta ao barômetro, que não resolveu subir. Passepartout sacudiu o barómetro, mas não havia nada lá, nem os choques nem os insultos com os quais ele dominou o instrumento irresponsável.

Por fim, o tormento diminuiu. O mar mudou em 4 de novembro. O vento pulou dois quartos no sul e tornou-se favorável novamente.

Passepartout tranquilizou-se com o tempo. Rangoon retomou seu curso com uma velocidade maravilhosa. Mas não conseguiu recuperar o tempo perdido. Era necessário tomar sua parte, e a terra não foi vista até o dia 6, às cinco horas da manhã. O itinerário de Phileas Fogg previa a chegada do navio a vapor no dia 5. Chegou apenas no dia 6. Ele tinha vinte e quatro horas de atraso, e a partida para Yokohama seria necessariamente perdida.

Às seis horas, o piloto embarcou no Rangoon e tomou seu lugar na ponte para dirigir o navio através dos passes para o porto de Hong Kong.

Passepartout morria de vontade de questionar este homem, para perguntar-lhe se o navio a vapor de Yokohama tinha deixado Hong Kong. Mas ele não se atreveu, preferindo manter uma pequena esperança até o último momento. Ele havia confiado suas angústias para Fix, e a raposa estava tentando consolá-lo.

Mas se Passepartout não se atreveu a questionar o piloto, o Sr. Fogg, depois de consultar seu guia, perguntou calmamente ao piloto se ele sabia quando sairia um barco de Hong Kong para Yokohama.

– Amanhã, na maré da manhã! – respondeu o piloto.

– Ah! – disse o Sr. Fogg, sem expressar qualquer surpresa.

Passepartout, que estava presente, com prazer teria beijado o piloto, a quem Fix desejava torcer o pescoço.

– Qual o nome desse vapor? – perguntou o Sr. Fogg.

– Carnatic! – respondeu o piloto.

– Piloto, o senhor é ótimo!

O piloto nunca soube por que suas respostas lhe propiciaram tão amável manifestação. A um apito da máquina soou, a ponte subiu e o navio seguiu pelo meio de juncos, barcos pesqueiros, navios de toda a espécie, que embaraçavam a entrada para Hong Kong.

À uma hora o Rangoon estava no cais, e os passageiros desembarcaram. Nesta ocasião, convenhamos, o acaso favorecera Phileas Fogg de modo único.

Sem a necessidade de reparar suas caldeiras, o Carnatic teria partido na data de 5 de novembro, e os viajantes para o Japão teriam sido obrigados a esperar oito dias pelo navio seguinte. Sr. Fogg ficava, é verdade, com um atraso de vinte e quatro horas, mas este atraso não poderia ter consequências funestas para o resto da viagem.

O navio que faz de Yokohama a São Francisco a travessia do Pacífico estava em correspondência direta com o navio para Hong Kong, e não poderia partir sem que este tivesse chegado. Evidentemente ocorreria 24 horas de demora em Yokohama. Mas durante os vinte de dois dias que dura a travessia do Pacífico, seria fácil recuperá-las. Phileas Fogg achava-se pois, com a diferença de quase vinte quatro horas, conforme seu programa, trinta e cinco dias depois de ter partido de Londres.

Como o Carnatic só partia no dia seguinte às cinco horas da manhã, Sr. Fogg tinha pela frente dezesseis horas para tratar dos seus negócios, isto é, dos que diziam respeito a Sra. Aouda. Ao desembarcar do vapor, ofereceu o braço à jovem e conduziu-a para um palanquim. Pediu aos carregadores que lhe indicassem um hotel, e eles sugeriram o Hotel do Clube. O palanquim se pôs a caminho, seguido por Passepartout, e vinte minutos depois chegava ao seu destino.

Um apartamento foi reservado para a jovem, e Phileas Fogg cuidou para que não lhe faltasse nada. Depois disse a Sra. Aouda que ia imediatamente à procura do parente aos cuidados do qual devia deixá-la entregue em Hong Kong. Ao mesmo tempo deu ordem a Passepartout para permanecer no hotel até sua volta, para que a jovem não ficasse só.

O cavalheiro fez-se conduzir à Bolsa. Ali deveriam forçosamente conhecer um personagem como o respeitável Jejeeh, que figurava entre os mais ricos comerciantes da cidade.

O corretor a quem Sr. Fogg se dirigiu conhecia efetivamente o negociante parsi. Mas, há dois anos, já não residia na China. Depois de fazer fortuna, tinha se estabelecido na Europa – na Holanda, supunha – o que se explicava pelas muitas relações que tivera com o país durante a sua existência comercial.

Phileas Fogg voltou para o Hotel do Clube. Em seguida mandou pedir licença a Sra. Aouda para se apresentar a ela e, sem mais preâmbulos, participou-lhe que o respeitável Jejeh não residia mais em Hong Kong, e que habitava provavelmente na Holanda.

A isto, Sra. Aouda não respondeu de pronto. Passou a mão pela fronte, e ficou alguns momentos a refletir. Depois, com sua voz doce:

– O que devo fazer, Sr. Fogg? – Ela disse.

– Muito simples – respondeu o cavalheiro. De volta à Europa.

– Mas eu não posso abusar tanto.

– Você não abusa, e sua presença não interfere de forma alguma no meu programa... Passepartout?

– Senhor? – respondeu Passepartout.

– Vá para Carnatic, e segure três cabines.

Passepartout, encantado por continuar sua jornada na companhia da jovem, imediatamente saiu do hotel.

Capítulo 19

Passepartout se interessa muito pelo patrão

Hong Kong é apenas uma ilha, cuja posse foi assegurada à Inglaterra pelo tratado de Nanquim, depois da guerra de 1842. Em poucos anos, o gênio colonizador da Grã-Bretanha ali havia fundado uma cidade importante e criado um porto, o porto Vitória. Esta ilha está situada na embocadura do rio de Cantão, e apenas sessenta milhas a separam da cidade portuguesa de Macau, construída na outra margem. Hong Kong deveria necessariamente vencer Macau em uma luta comercial, e agora a maioria do trânsito chinês passa pela cidade inglesa.

Docas, hospitais, cais, alfândegas, uma catedral gótica, uma casa do governo, ruas cobertas de macadâmia, e tudo fazia supor que uma das cidades comerciais dos condados de Kent ou de Surrey, atravessando a Terra viera sair neste ponto da China.

Passepartout, as mãos nos bolsos, dirigiu-se para o porto Vitória, contemplando os palanquins e toda a multidão de chineses, japoneses e de europeus que se comprimiam nas ruas. Com pequenas diferenças, era ainda Bombaim, Calcutá ou Cingapura, que o digno moço encontrava no seu trajeto. É como se fossem cidades inglesas ao redor do mundo.

Passepartout chegou ao porto Vitória. Ali, na embocadura do rio de Cantão, havia um formigueiro de navios de todas as nações, ingleses, franceses, americanos, holandeses, navios de guerra e de comércio, embarcações japonesas ou chinesas, juncos e mesmo barcos de flores que pareciam canteiros sobre as águas. Passeando, Passepartout notou um certo número de nativos vestidos de amarelo, todos com idade muito avançada. Tendo entrado num barbeiro chinês para se barbear à moda chinesa soube pelo fígaro do lugar, que falava um inglês muito bom, que todos aqueles velhos tinham pelo menos oitenta anos, e que nessa idade tinham o privilégio de usar a cor amarela, que é a cor imperial. Passepartout achou aquilo muito esquisito, sem bem saber por quê.

Barba feita, dirigiu-se para o cais de embarque do Carnatic, e avistou Fix que passeava por ali, o que não o surpreendeu. Mas o inspetor de polícia deixava transparecer no rosto as marcas de um profundo desapontamento.

– Bom! – disse Passepartout – está indo mal para os senhores do Reform Club! E deu um sorriso maroto para Fix.

O agente teve boas razões para assustar a sorte infernal que o perseguiu. Sem mandato! Era evidente que o mandato correu atrás dele, e só conseguiu alcançá-lo se ele permanecesse alguns dias naquela cidade. Agora, como Hong Kong era a última terra inglesa na rota, Sr. Fogg definitivamente escaparia dele se ele não conseguisse mantê-lo lá.

– Bem, Sr. Fix, decidiu vir conosco para a América? – perguntou Passepartout.

– Sim – respondeu Fix, apertando os dentes.

– Venha, então! – exclamou Passepartout, fazendo alvoroço. Eu sabia que não poderia se separar da gente. Venha e segure seu lugar, venha!

Foram ao Escritório de Transporte Marítimo e procuraram cabines para quatro pessoas. Mas o servo comentou a eles que as reservas do Carnatic haviam acabado. E o navio se afastaria naquela noite às oito horas, como havia sido anunciado.

– Muito bem! – respondeu Passepartout – isso arruinará meu patrão!

Naquele momento, Fix resolveu abrir o jogo para Passepartout. Era talvez a única maneira de manter Phileas Fogg por alguns dias em Hong Kong.

Fix ofereceu a sua companhia para se refrescar em uma taberna. Passepartout aceitou o convite da Fix. Foram a uma taberna no cais, de aspecto aconchegante. Ambos entraram. Era uma grande sala bem decorada, no fundo havia uma cama de acampamento, decorada com almofadas.

No grande salão, havia cerca de trinta fregueses em pequenas mesas. Alguns consumiam cerveja inglesa, licores alcoólicos, gim ou conhaque. Além disso, tinha tubos longos, recheados com pequenos grânulos de ópio misturados com essência rosa. Então, de vez em quando, um fumante nervoso deslizava debaixo da mesa, e funcionários do estabelecimento, carregando pelos pés e pela cabeça, o levavam para uma tenda perto de outro narcotizado. Cerca de vinte desses drogados, dispostos lado a lado, repousavam no lugar.

Fix e Passepartout entenderam que haviam entrado em uma casa de fumo assombrada a quem a Inglaterra mercantil vende anualmente essa droga fatal, que se chama ópio! Infelizmente, milhões deles, tirados de um dos vícios mais fatais da natureza humana.

O governo chinês tentou remediar esse abuso com leis severas, mas foi em vão. Da classe rica, a quem o uso do ópio foi inicialmente reservado formalmente, esta prática foi para as classes mais baixas, e os estragos não podem mais ser corrigidos. O ópio é fumado em todos os lugares e sempre. Homens e mulheres se dedicam a essa paixão deplorável, e quando eles estão acostumados a essa inalação, eles não podem mais se controlar, sofrendo terríveis contrações no estômago. Um grande fumante pode fumar até oito tubos por dia, mas ele morre em cinco anos.

Era em uma das muitas casas de fumo desse abundantes em Hong Kong, que Fix e Passepartout tinham entrado com a intenção de se refrescar. Passepartout não tinha dinheiro, mas aceitou de bom grado o convite de seu companheiro, mesmo sem retribuir no devido tempo.

Pediram duas garrafas de porto, com que o francês fez grande honra, enquanto Fix, mais reservado, observou seu companheiro com extrema atenção. Eles falaram sobre várias coisas, e sobretudo sobre a excelente ideia que a Fix teve de sobre o Carnatic. A partida do vapor avançou algumas horas, Passepartout, com as garrafas vazias, se levantou para ir informar seu patrão, quando Sr. Fix o interrompeu dizendo:

– Um momento! Eu tenho que falar com você sobre coisas sérias.

– Coisas sérias? – estranhou Passepartout, esvaziando algumas gotas de vinho que permaneceram no fundo do copo. Bem, vamos falar sobre isso amanhã. Não tenho tempo hoje.

– Fique! – respondeu Fix. É sobre seu patrão!

Passepartout olhou atentamente para o interlocutor. A expressão do rosto de Fix parecia estranha para ele. Ele se sentou novamente e perguntou:

– O que você tem para me dizer?

Fix colocou a mão no braço de seu interlocutor, baixou a voz e falou:

– Você adivinhou quem eu era?

– Como assim? – riu Passepartout.

– Então eu vou confessar...

– Ah, Eu sei tudo, meu amigo. Ah! Isso não tem importância! Finalmente, de antemão, digo que aqueles cavalheiros tiveram despesas muito desnecessárias!

– Você fala sobre isso à vontade! É claro que você não sabe a importância da soma! – interrompeu Fix.

– Sim, eu a conheço! – respondeu Passepartout. Vinte mil libras!

– Cinquenta e cinco mil! – respondeu Fix, apertando a mão do francês.

– O quê? – gritou Passepartout – Cinquenta e cinco mil libras! Mais motivo para não perder um momento!

– Cinquenta e cinco mil libras! – confirmou Fix, que forçou Passepartout a sentar-se depois de ter trazido uma garrafa de conhaque, e se eu tiver sucesso, ganhei um prémio de duas mil libras. Você quer quinhentos, com a condição de me ajudar?

– Ajudá-lo? Exclamou Passepartout, cujos olhos estavam desproporcionalmente abertos.

– Sim, me ajude a manter o Sr. Fogg por alguns dias em Hong Kong!

– Hein? O que você está dizendo? Não contentes em seguir meu patrão, para suspeitar de sua lealdade, esses senhores ainda querem criar obstáculos para ele! Que vergonha!

– O que você quer dizer? – perguntou Fix.

– Que isso é pura deslealdade. Tanto para tirar o Sr. Fogg como para receber esse dinheiro!

– Ei! Isso é o que esperamos acontecer!

– Mas é uma armadilha! – exclamou Passepartout, inflado pelo conhaque que tomara. Uma verdadeira emboscada da parte de cavalheiros, colegas!

Fix estava começando a parar de entender.

– Colegas, membros do Reform Club! Saiba, Sr. Fix, que meu patrão é um homem honesto, e que, quando fez uma aposta, é de modo leal que ele pretende ganhar.

– Mas quem você acha que eu sou? – perguntou Fix, olhando para Passepartout.

– Um agente dos membros do Reform Club, que tem a tarefa de controlar o itinerário do meu patrão, o que é singularmente humilhante! Embora eu tenha já há algum tempo adivinhado sua atividade, tive o cuidado de não revelar isso ao Sr. Fogg!

– Ele não sabe nada? – perguntou Fix.

– Nada! – respondeu Passepartout, esvaziando o copo mais uma vez.

O inspetor da polícia passou sua mão sobre sua testa. Ele hesitou antes de falar novamente. O que ele deveria fazer? O erro de Passepartout pareceu sincero, mas tornou seu projeto mais difícil. Era evidente que o rapaz falava com absoluta boa-fé, e que ele não era o cúmplice de seu patrão, como Fix poderia ter temido.

– Bem – pensou o inspetor – já que ele não é seu cúmplice, me ajudará.

O detetive voltou a decidir-se. Além disso, ele não teve tempo de esperar. A todo custo, Fogg tinha que ficar detido em Hong Kong.

– Escute – disse Fix – Não sou o que você pensa, isto é, um agente dos membros do Reform Club...

– Bah! – disse Passepartout, olhando para ele com um ar zombeteiro.

– Eu sou um inspetor de polícia, encarregado de uma missão pela administração metropolitana...

– Você... inspetor de polícia?

– Sim, e eu vou provar isso, veja o documento!

E o agente retirou um papel de sua carteira, mostrou ofício assinado pelo diretor da polícia central. Passepartout, atordoado, olhou Fix, incapaz de articular uma palavra.

– A aposta do Sr. Fogg – prosseguiu Fix – é apenas um pretexto pelo qual você e seus colegas do Reform Club são enganados, pois era do seu interesse garantir uma cumplicidade inconsciente.

– Mas por quê? – quis saber Passepartout.

– Veja bem... no dia 28 de setembro houve um roubo de cinquenta e cinco mil libras no Banco da Inglaterra por um indivíduo cujo relatório me foi fornecido. E a descrição bate com as características do Sr. Foggs.

– Vamos ver então! – esbravejou Passepartout, golpeando a mesa com o punho forte. Meu mestre é o homem mais honesto do mundo!

– O que você sabe sobre isso? – perguntou. Você mal o conhece! Começou a trabalhar para ele no dia da sua partida, e saíram de viagem com um pretexto absurdo, sem malas, levando consigo uma grande quantia em dinheiro! Como ainda sustenta que ele é um homem honesto?

– Sim! Sim! – o rapaz repetiu mecanicamente.

– Vai ser preso como seu cúmplice!

Passepartout tomou a cabeça nas duas mãos. Ele não ousou olhar para o inspetor da polícia. Phileas Fogg um ladrão, o salvador de Aouda, o homem generoso e corajoso! Que difamação contra ele! Passepartout tentou repelir as suspeitas que invadiam sua mente. Ele não queria acreditar na culpa de seu patrão.

– Bem, o que você quer de mim? – disse ao policial, num esforço supremo.

– Alcancei agora o Sr. Fogg, mas ainda não recebi o mandado de prisão que pedi a Londres. Você tem que me ajudar em Hong Kong...

– Eu! Por que eu?

– Compartilho com você o bônus de duas mil libras prometido pelo Banco da Inglaterra!

– Nunca!

– Sr. Fix, mesmo que tudo o que me disse seja verdade, sei que meu patrão é bom e generoso. Não o trairia por todo o outro do mundo. Venho de uma aldeia onde você não come este pão!...

– Você se recusa?

– Eu recuso.

– Então faça de conta que eu não disse nada e bebe!

– Sim, vamos beber!

Passepartout se sentiu cada vez mais invadido pela embriaguez. Fix, percebendo que ele tinha que se separar de seu patrão a todo custo, queria acabar com isso. Na mesa havia alguns tubos carregados de ópio. Fix deslizou um na mão de Passepartout, que o pegou, levantou-o até os lábios, acendeu-o, deu umas tragadas e caiu para trás, sua cabeça pesada sob a influência do narcótico.

Fiz pensou, ao ver o estado de Passepartout:

– O Sr. Fogg não será avisado a tempo de sair do Carnatic, e se ele sair, pelo menos ele irá embora sem esse maldito francês!

Em seguida, pagou a conta e saiu.

Capítulo 20

Fix faz contato direto com Phileas Fogg

Durante esta cena que iria talvez comprometer tão gravemente seu futuro, Sr. Fogg, acompanhando Sra. Aouda, passeava pelas ruas da cidade inglesa. Desde que Sra. Aouda tinha aceitado sua oferta de conduzi-la à Europa, ele começara a providenciar todos os detalhes necessários para uma viagem longa. Que um inglês como ele fizesse a volta ao mundo com uma sacola de viagem na mão, admite-se, mas uma mulher não poderia seguir nestas condições. Daí a necessidade de comprar roupas e objetos para a viagem. Sr. Fogg se incumbiu desta tarefa com a calma que o caracterizava e a todas as desculpas e objeções da viúva, confusa com tanta amabilidade:

– É do meu interesse, faz parte da minha programação! – garantia ele.

Feitas as aquisições, Sr. Fogg e a jovem regressaram ao hotel e jantaram à mesa dos hóspedes, que estava suntuosamente servida. Depois, Sra. Aouda, um pouco cansada, subiu para o seu apartamento, depois de ter apertado a mão do seu imperturbável salvador, "à inglesa".

O respeitável cavalheiro ficou durante toda a tarde na leitura do Times e do Illustrated London News.

Se ele fosse homem capaz de ficar espantado com algo, teria ficado ao não ver aparecer o seu criado na hora de se deitar. Mas, sabendo que o navio para Yokohama não deveria sair de Hong Kong antes do dia seguinte pela manhã, não se preocupou. No dia seguinte, Passepartout não se apresentou ao toque da sineta de Sr. Fogg.

O que pensou o honrado cavalheiro ao saber que o seu criado não tinha voltado ao hotel, ninguém poderá dizer. Sr. Fogg limitou-se a pegar sua sacola de viagem, pediu para avisarem Sra. Aouda, e mandou buscar um palanquim.

Eram oito horas, e estava previsto para o Carnatic se prepararia para deixar o porto às nove e meia.

Quando o palanquim chegou à porta do hotel, Sr. Fogg e Sra. Aouda subiram no confortável veículo, e as bagagens seguiram atrás em uma carreta. Meia hora mais tarde, os viajantes desceram para o cais de embarque, e aí Sr. Fogg soube que o Carnatic tinha partido na véspera.

Sr. Fogg, que esperava encontrar, ao mesmo tempo, o navio e o criado, ficara sem um e sem outro. Mas nenhum sinal de desapontamento apareceu em seu semblante. Como a Sra. Aouda o fitava inquieta, ele observou apenas:

– Foi um incidente, madame.

Neste momento, um personagem que o observava se aproximou dele. Foi o inspetor Fix, que o cumprimentou e disse:

– Não é um dos passageiros do Rangoon, que chegou ontem?

– Sim, senhor, respondeu o Sr. Fogg friamente, mas eu não tenho a honra...

– Perdoe-me, mas achei que encontrei seu servo aqui.

– Sabe onde ele está, senhor? – perguntou a jovem.

– Como? – respondeu Fix, fingindo surpresa – não está com vocês?

– Não, respondeu a Sra. Aouda. Desde ontem, não reapareceu. Ele teria embarcado sem nós a bordo do Carnatic?

– Desculpe a minha pergunta, mas a senhora estava planejando ir nesse vapor?

– Sim, senhor.

– Eu também, madame, mas o Carnatic, depois de ter completado seus reparos, deixou Hong Kong doze horas antes, sem aviso nenhum, e agora levará oito dias para o próximo navio.

Ao pronunciar as palavras "oito dias", Fix sentia o coração pular de alegria. Oito dias! Fogg retido oito dias em Hong Kong! Haveria tempo para receber o mandado de prisão. Finalmente a sorte declarava-se a favor do representante da lei.

Avaliem, então, o golpe mortal que recebeu, quando ouviu Sr. Fogg dizer com a sua voz calma:

– Mas há outros navios do que o Carnatic, parece-me, no porto de Hong Kong!

E o Sr. Fogg, oferecendo o braço à Sra. Aouda, seguiu para as docas em busca de um navio de partida.

Fix, assombrado, foi atrás. Parecia que um fio o atava a aquele homem. Contudo, a sorte parecia tê-lo abandonado. Phileas Fogg, durante três horas, percorreu o porto em todos os sentidos, decidido, se preciso fosse, a fretar uma embarcação para o transportar a Yokohama. Mas só viu navios carregando ou descarregando, e que, portanto, não poderiam estar de partida. Fix sentiu renascer sua esperança.

Entretanto Sr. Fogg não se desconcertava, e ia continuar a sua busca, mesmo que precisasse passar a Macau, quando foi abordado por um marinheiro na entrada do porto.

– O senhor procura um barco?

– Você tem um barco pronto para ir? – perguntou o Sr. Fogg.

– Sim, senhor, um barco piloto nº 43, o melhor da flotilha.

– Ele navega bem?

– Entre oito e nove milhas, mais ou menos. Quer vê-lo?

– O senhor quer um passeio no mar?

– Não, quero viajar. Nos levaria a Yokohama?

Diante dessas palavras, o marinheiro deteve os movimentos do braço, esbugalhou os olhos e perguntou:

– Fala sério?

– Muito a sério, respondeu Sr. Fogg. Eu lhe ofereço cem libras por dia, e um prémio de duzentas libras se chegar a tempo.

O piloto afastou-se um pouco para o lado. Olhava o mar, evidentemente hesitando entre o desejo de ganhar uma soma enorme e o medo de se aventurar tão longe.

– Perdi a partida do Carnatic, e devo estar no dia 14, o mais tardar, em Yokohama, para pegar o navio a vapor de São Francisco – explicou sr. Fogg.

Neste interim, Sr. Fogg voltara-se para Sra. Aouda e perguntou:

– Não tem medo, madame?

– Com o senhor não, Sr. Fogg. – respondeu a jovem.

O piloto aproximou-se outra vez do cavalheiro e girava o chapéu entre as mãos.

– Então, piloto? – quis saber Sr. Fogg.

– Então, meu senhor, respondeu o piloto, não posso arriscar nem meus homens, nem a mim, nem mesmo o senhor, em uma travessia tão longa num barco de vinte toneladas apenas, nesta época do ano. Além disso, não chegaríamos a tempo, porque há mil seiscentas e cinquenta milhas de Hong Kong a Yokohama.

– 1.600 apenas, disse Sr. Fogg.

– Dá na mesma.

Fix respirou aliviado.

– Mas, acrescentou o piloto, haverá talvez meio de se arranjar de outro modo.

Fix prendeu a respiração.

– Como? – perguntou Phileas Fogg.

– Indo a Nagasaki, a extremidade sul do Japão, 1.100 milhas, ou apenas a Xangai, 800 milhas de Hong Kong. Nesta última travessia, não nos afastaríamos da costa chinesa, o que seria uma grande vantagem, ainda mais que aí as correntes levam para o norte.

– Piloto, respondeu Phileas Fogg, é em Yokohama que devo tomar o navio, não em Xangai ou em Nagasaki.

– Por que não? – respondeu o piloto. O navio para São Francisco não parte de Yokohama. Faz escala em Yokohama e em Nagasaki, mas o seu porto de partida é Xangai!

– Tem certeza do que diz?

– Absoluta!

– E quando o navio deixa Xangai?

– Dia 11, às sete da noite. Logo temos quatro dias pela frente. Quatro dias, são noventa e seis horas, e com uma média de oito milhas por hora, se tivermos sorte, se o vento soprar do sudeste, se o mar estiver calmo, podemos fazer as oitocentas milhas que nos separam de Xangai.

– E quando poderemos zarpar?

– Em uma hora, tempo para preparar o barco e comprar mantimentos.

– Negócio fechado. O senhor é o comandante do barco?

– Sim, John Bunsby, capitão do Tankadère.

– Quer um adiantamento?

– Se não for afetar sua honra...

– Aqui estão duas centenas de libras!

– Senhor, disse Phileas Fogg, virando-se para Fix, se quer aproveitar...

– Sim, respondeu Fix, resolutamente, ia lhe pedir esse favor.

– Bom. Em meia hora, estaremos a bordo.

Sra. Aouda disse:

– E o pobre rapaz? Seu desaparecimento me preocupa extremamente.

– Eu farei por ele tudo o que posso fazer! – respondeu Phileas Fogg.

E com o Fix, nervoso, furioso, seguiram para os escritórios de polícia de Hong Kong. Lá, Phileas Fogg fez o relatório de Passepartout, e deixou uma quantia suficiente para repatriá-lo. A mesma formalidade foi cumprida pelo agente consular francês, e o palanquim, depois de ter tocado no hotel, onde a bagagem foi tirada, trouxe os viajantes de volta ao porto.

Soavam três horas. O barco-piloto n°43, com sua tripulação a bordo, seus víveres embarcados, estava pronto para largar.

A Tankadère era uma pequena escuna atraente de vinte toneladas, bem pinçada na frente, bem solta em suas maneiras, muito alongada em suas linhas d'água. Parecida um iate de corrida. Seus cobres brilhantes, as ferragens galvanizadas, a coberta branca como marfim, indicavam que o capitão John Bunsby sabia conservá-la em bom estado. Seus dois mastros inclinavam-se um pouco para trás. Levava velas latinas, mezena, traquete, e, com vento pela popa, podia cortar o mar maravilhosamente. Devia navegar rápido, e, de fato, já ganhara diversos prêmios nos em concursos de barcos de pilotagem.

A tripulação da Tankadère era composta pelo capitão John Bunsby e quatro homens. Eram desses marinheiros valorosos que, com qualquer tempo, se aventuram à busca dos navios, e conheciam muito bem estes mares. John Bunsby, homem de cerca de quarenta e cinco anos, vigoroso, bronzeado de Sol, o olhar vivo, a expressão enérgica, bem aprumado, bom no que fazia, inspirava confiança aos mais medrosos.

Phileas Fogg e Sra. Aouda subiram ao navio. Fix já se achava ali. Pela escotilha de popa da embarcação, podiam descer para um quarto quadrado, cujas anteparas se desdobravam em forma de catres por cima de um divã circular. No meio, uma mesa iluminada por um lampião que oscilava. Era pequeno, mas limpo.

– Lamento, mas são estas as acomodações! – disse Phileas Fogg.

O inspetor da polícia sentiu, como uma espécie de humilhação por estar às custas de favor do Sr. Fogg.

– É um fanfarrão, muito educado, mas não passa de um canalha! – pensou ele.

Três minutos depois, as velas foram içadas. A bandeira da Inglaterra bateu no mastro da embarcação. Os passageiros estavam sentados no convés. Sr. Fogg e Sra. Aouda lançaram um último olhar para o cais, para ver se Passepartout não apareceria.

Fix estava apreensivo pois a sorte poderia ter trazido o pobre rapaz que ele tinha tratado tão indignamente. Mas o francês não apareceu. Sem dúvida, o terrível narcótico ainda estava sob ação.

E a Tankadère, levando o vento sob suas velas, partiu entre as ondas.

Capítulo 21

Chefe da Tankadère corre risco de perder duzentas libras

Era uma expedição aventura esta navegação de oitocentas milhas, numa embarcação de vinte toneladas, e principalmente naquela época do ano. São geralmente agitados os mares da China, expostos a lufadas terríveis durante os equinócios, e estavam ainda nos primeiros dias de novembro.

Certamente teria sido mais vantajoso para o piloto conduzir seus passageiros até Yokohama, pois era pago por dia. Mas teria sido imprudência demais tentar tal travessia em tais condições, e já era um ato audacioso, quando não temerário, ir até Xangai. Mas John Bunsby tinha confiança em sua Tankadère, que se elevava sobre as vagas como uma malva, e não estava errado.

Durante as últimas horas desta jornada, a Tankadère navegou por entre os escolhos caprichosos de Hong Kong, e sob todos os critérios, com vento pela frente ou por trás, comportou-se muito bem.

– Não tenho necessidade, piloto – disse Phileas Fogg quando a escuna entrava em alto-mar – de lhe recomendar toda diligência possível.

– Que sua honra dependa de mim! – respondeu John Bunsby. Na verdade, das velas, carregamos tudo o que o vento permite carregar. Motores não iriam acrescentar nada, e servem apenas para atordoar o barco, prejudicando seu progresso.

– É seu trabalho, não meu, piloto e confio em você!

Phileas Fogg, o corpo ereto, pernas afastadas, firme como um marinheiro, contemplava, sem cambalear, o mar agitado. A jovem, sentada à popa, sentia-se emocionada contemplando este oceano, já com as sombras do crepúsculo, cuja fúria arrostava em uma frágil embarcação. Por cima da sua cabeça desdobravam-se as velas brancas, que a levavam pelo espaço como grandes asas. A escuna, impelida pelo vento, parecia voar no ar.

A noite veio. A lua entrava no seu primeiro quarto, a sua luz insuficiente deveria logo extinguir-se nas brumas do horizonte. Nuvens corriam do leste e já invadiam uma parte do céu.

O piloto tinha colocado os fogos sinalizadores, precaução indispensável a ser tomada nestes mares muito frequentados nas proximidades das costas. As colisões de navios não eram raras por ali, e, com a velocidade com que iam, a embarcação se despedaçaria ao menor choque.

Fix meditava na proa da embarcação. Conservava-se afastado, observando. Estava relutante em falar com esse homem, cujo favor aceitou. Ele também estava pensando no futuro. Parecia certo para ele que se o Sr. Fogg não parasse em Yokohama, que imediatamente levaria o vapor de San Francisco para chegar à América, com vasta extensão que asseguraria sua impunidade com a segurança. O plano de Phileas Fogg pareceu ser bastante simples.

Em vez de embarcar diretamente da Inglaterra para os Estados Unidos, como um velhaco vulgar, este Fogg havia feito uma grande volta e atravessado três quartas partes do globo, para alcançar com mais segurança o continente americano, onde gastaria tranquilamente seu dinheiro.

Mas uma vez em terra, que faria Fix? Abandonaria esse homem? Não, cem vezes não! Até que tivesse obtido um ato de extradição, não o perderia de vista. Era seu dever e o cumpriria até o fim. Em todo caso, algo de bom tinha acontecido. Passepartout já não estava junto de seu patrão, e sobretudo, depois das confidências de Fix, era importante que patrão e criado não se revissem jamais.

Phileas Fogg, este, também não deixava de pensar no criado, tão estranhamente desaparecido. Feitas todas as reflexões, não lhe parecia impossível que, em consequência de um mal-entendido, o rapaz tivesse embarcado no Carnatic, no último momento. Era também a opinião de Sra. Aouda, que sentia profundamente a ausência deste excelente servidor, a quem tanto devia. Poderia acontecer que o reencontrassem em Yokohama. Se o Carnatic para ali o tivesse transportado, seria fácil saber.

Por volta das dez horas, surgiu uma brisa refrescante. Talvez tivesse sido prudente diminuir a velocidade, mas o piloto, após ter cuidadosamente observado o céu, deixou as velas no estado em que estavam. Demais, a Tankadère, levava admiravelmente o pano, tendo uma grande capacidade de colocar água fora, e tudo estava preparado para ser arranjado rapidamente, em caso de aguaceiro.

À meia noite, Phileas Fogg e Sra. Aouda desceram para a cabina. Fix foi antes e se estendera sobre um dos catres. Quanto ao piloto e seus homens, ficaram a noite toda no convés.

No dia seguinte, 8 de novembro, ao nascer do sol, a escuna tinha feito mais de cem milhas. A média de sua velocidade estava entre oito e nove milhas. A Tankadère ia com as velas totalmente estendidas, para obter assim sua máxima rapidez. Se o vento se mantivesse nestas condições, as probabilidades eram a seu favor.

A Tankadère, durante todo este dia, não se afastou muito da costa, cujas correntes lhe eram favoráveis. Tinha-a cinco milhas ou mais a bombordo, e a costa, de perfil irregular, aparecia às vezes no meio de alguns clarões. O vento vinha da terra, o mar estava por isso mesmo menos forte: circunstância feliz para a escuna, porque as embarcações de pequena tonelagem padecem principalmente com a vaga, que lhes diminui a velocidade.

Lá pelo meio-dia, o vento amainou um pouco e rodou para sudeste. O piloto largou ajustou o leme e, ao fim de duas horas, foi preciso rever porque o vento refrescava de novo.

Sr. Fogg e a jovem, muito resistentes ao mal do mar, comeram com apetite as conservas e a bolacha de bordo. Fix foi convidado a partilhar de sua refeição e teve do aceitar, porque bem sabia que é tão necessário lastrear o estômago como os barcos, mas aquilo o vexava! Viajar à custa deste homem, nutrir-se com seus víveres, achava pouco leal. Contudo, comeu – pouco, é verdade – mas comeu.

Mas, terminada a refeição, julgou dever chamar o senhor Fogg à parte, e disse-lhe:

– O senhor tem sido muito generoso ao me oferecer uma passagem a bordo. Mas, embora meus recursos não me permitam atuar tão amplamente quanto o senhor, eu pretendo pagar minha parte...

– Não vamos falar sobre isso, senhor! – respondeu o Sr. Fogg.

– Mas se eu tiver...

– Não, senhor - repetiu Fogg, num tom que não admitiu resposta.

À noite, o piloto havia levado uma viagem de vinte e duas milhas de Hong Kong para o lago, e Phileas Fogg esperava que, à sua chegada a Yokohama, ele não demorasse em cumprir seu programa. Assim, o primeiro prejuízo grave que ele experimentou desde sua partida de Londres provavelmente não causaria nenhum problema.

Durante a noite, nas primeiras horas da manhã, a Tankadère entrou firmemente no estreito de Fo-Kien, que separou a grande ilha de Formosa da costa chinesa e cortou o Trópico do Câncer. O mar era muito difícil nesse estreito, cheio de redemoinhos formados pelas contracorrentes. A escuna se cansou bastante. As lâminas curtas quebraram o curso. Tornou-se muito difícil ficar no convés.

Ao amanhecer, o vento refrescou mais. Havia no céu indícios de borrasca. E o barômetro anunciava uma mudança próxima de atmosfera; sua marcha diurna estava irregular, e o mercúrio oscilava caprichosamente. Via-se também o mar se levantar para o sudoeste em longas ondas que prenunciavam a tempestade. Na véspera, o Sol tinha se deitado em uma bruma avermelhada, no meio de cintilações fosforescentes do oceano.

O piloto examinou durante muito tempo este mau aspecto do céu e murmurou entredentes coisas pouco inteligíveis. Em certo momento, achando-se perto de seu passageiro. Sr. Fogg sugeriu:

– Vá pelo tufão do sul, pois nos levará para o lado certo!

– Se é assim, não tenho mais nada a dizer! – concluiu o piloto.

Vossa excelência está procurando um navio? Reprodução de ilustração do original "Around the World in Eighty Days", pintada por Alphonse de Neuville e/ou Léon Benett, em 1873.

O pressentimento de John Bunsby não o enganou. Em um período menos avançado do ano, o tufão, de acordo com a expressão de um célebre meteorologista, passou como uma cascata luminosa de chamas elétricas, mas no equinócio de inverno era de temer que pudesse ser violentamente desencadeado.

O piloto tomou precauções com antecedência. Ele tinha todas as velas da escuna apertadas e os estaleiros foram carregados no convés. Nem uma gota de água poderia no casco do barco. Uma única vela triangular, uma tela resistente, foi içada como uma lata de suspensão, de modo a manter o vento de raio da escuna. E esperaram.

John Bunsby chamou seus passageiros para entrar na cabine; mas em um espaço estreito, quase privado de ar. Nem o Sr. Fogg nem a Sra. Aouda, ou mesmo o próprio Fix, concordaram em deixar a ponte.

Por volta das oito horas, a tempestade desabou. Com seu pequeno pedaço de tela, a Tankadère foi levada como uma pena por este vento, do qual não se pode dar uma ideia exata quando sopra em uma tempestade. Comparar sua velocidade com a velocidade quádrupla de uma locomotiva jogada em pleno vapor seria permanecer abaixo da verdade.

Ao longo do dia, o barco correu para o norte, levado pelas lâminas monstruosas, preservando felizmente uma velocidade igual à deles. Vinte vezes ela foi quase coroada por uma dessas montanhas de água subindo nas costas. Um golpe hábil do leme, dado pelo piloto, parece ser uma catástrofe. Os passageiros às vezes eram cobertos pelo spray que receberam filosoficamente.

Fix estava provavelmente resmungando, mas a intrépida Aouda, com os olhos fixos em seu companheiro, cujo sangue frio ela só podia admirar, mostrou-se digna dele e desafiou o tormento ao seu lado. Quanto a Phileas Fogg, parecia que esse tufão fazia parte de seu programa.

Até então, a Tankadère sempre viajou para o norte; mas para a noite, como pode ser temido, o vento, virando três quartos, apressou o noroeste. A escuna, então flanqueada pela lâmina, foi terrivelmente abalada. O mar atingiu-a com uma violência bem calculada para assustar, quando não se sabe com que solidez todas as partes de um edifício estão interligadas.

Com a noite, a tempestade tornou-se ainda pior. Vendo a escuridão acontecer, e com a escuridão aumentando a turbulência, John Bunsby sentiu grande ansiedade. Ele se perguntou se não seria hora de relaxar, e ele consultou sua equipe, depois se aproximou do Sr. Fogg e disse:

– Penso que devemos fazer bem em chegar a um dos portos da costa.

– Eu também acredito! – respondeu Phileas Fogg.

– Ah! Mas qual?

– Eu conheço apenas um! – respondeu Mr. Fogg calmamente.

– E é?

– Xangai

O piloto ficou sem entender, no começo. Em seguida, respondeu:

– Bem, sim! Senhor está certo. Em Xangai!

E a direção da Tankadère foi imperturbável mantida em direção ao norte.

Noite realmente terrível! Era um milagre a pequena escuna resistir. Duas vezes ela esteve à deriva, e tudo teria sido levado a bordo, se as apreensões tivessem falhado. Senhora Aouda estava quebrada, mas não se queixou. Mais de uma vez, o Sr. Fogg teve que correr para ela para protegê-la contra a violência das lâminas.

O dia reapareceu. A tempestade ainda estava com uma fúria extrema. No entanto, o vento caiu no sudeste. Foi uma modificação favorável, e o Tankadère novamente abriu caminho para este desastroso mar, cujas lâminas se contraíram com a nova área do vento. Um choque de ondas contrárias teria esmagado uma embarcação menos sólida.

De vez em quando, dava para ver a costa através das névoas rasgadas, mas não um navio à vista. A Tankadère estava sozinha segurando o mar.

Ao meio-dia, havia indício de calmaria que, com a queda do Sol no horizonte, foram pronunciados com mais clareza.

A curta duração da tempestade foi devido à sua própria violência. Os passageiros, absolutamente quebrados, podiam comer e descansar um pouco.

A noite foi relativamente pacífica. O piloto restaurou suas velas para o recife mais baixo. A velocidade do barco era considerável. No dia seguinte, ao amanhecer, no início do dia, um reconhecimento da costa, John Bunsby conseguiu afirmar que restavam cem milhas até Xangai.

Cem milhas, e havia apenas aquele dia para fazê-los! Era a mesma noite em que o Sr. Fogg chegaria a Xangai, se ele não desejasse perder a partida do vapor de Yokohama. Sem essa tempestade, durante a qual perdeu várias horas, ele não estaria neste momento a trinta milhas do porto.

A brisa era sensivelmente molhada, mas, felizmente, o mar caiu com ela. A escuna estava coberta de linho. Setas, patas de suspensão, tudo carregado, e o mar estava espumando.

Ao meio-dia, o Tankadère não estava a mais de quarenta e cinco milhas de Xangai. Ainda faltavam seis horas para o porto antes da partida do navio de Yokohama.

Os medos foram arrefecidos a bordo. Queriam chegar a qualquer custo. Todos eles – talvez exceto Phileas Fogg – sentiram seu coração bater com impaciência. A pequena escuna deve ter mantido uma média de nove milhas por hora, e o vento ainda estava se acalmando. Era uma brisa irregular, sopros caprichosos provenientes da costa. Eles estavam passando, e o mar de repente se abriu após a passagem deles.

Mas o barco era tão leve e suas velas altas, de pano fino, reuniam as brisas loucas tão bem que, às seis horas, John Bunsby estava a apenas dez milhas do rio de Xangai, pois a própria cidade está situada a uma distância de doze milhas.

Às sete horas estavam a três milhas de Xangai. Uma "maldição" escapou dos lábios do piloto... Estava claro que perdeu o prêmio. Ele olhou para o Sr. Fogg. O Sr. Fogg estava impassível, e ainda assim toda a fortuna dele era jogada naquele momento.

Um longo fio preto, contornado por uma pluma de fumaça, apareceu na superfície da água. Era o vapor americano, que saiu no horário agendado.

– Maldição! – exclamou John Bunsby, empurrando o timão com um braço desesperado.

Phileas Fogg simplesmente disse:

– Sinais!

Um pequeno canhão de bronze esticado na frente do Tankadère foi usado para fazer sinais indicando névoa.

O canhão foi carregado na boca, mas no momento em que o piloto estava prestes a acender, o Sr. Fogg disse:

– O pavilhão a meio mastro!

A bandeira foi trazida para o meio do mastro. Era um sinal de angústia, e era de se esperar que o navio americano, percebendo-o, mudasse seu curso por um momento para socorrer a escuna.

– Fogo! – gritou o Sr. Fogg.

E a detonação do pequeno canhão de bronze explodiu no ar.

Capítulo 22

Passepartout reconhece que sempre é prudente ter algum dinheiro

O Carnatic, saiu de Hong Kong no dia 7 de novembro, e às seis e meia da tarde, dirigia-se a todo o vapor para as terras do Japão. Levava um carregamento completo de mercadorias e passageiros. Duas cabinas de popa estavam desocupadas. Eram as que tinham sido reservadas por Sr. Phileas Fogg. Na manhã seguinte, pela manhã, o pessoal da proa pôde ver, com alguma surpresa, um passageiro, o olho meio abestalhado, andar vacilante, cabeleira revolta, que saía da segunda classe e vinha, cambaleando, sentar-se numa boia. Esse passageiro era Passepartout em pessoa. Vejamos o que aconteceu.

Instantes depois de Fix ter saído do antro de ópio, dois rapazes tinham levantado Passepartout profundamente adormecido e o deitaram sobre o leito reservado aos fumantes. Mas três horas mais tarde, Passepartout, perseguido até nos seus pesadelos por uma ideia fixa, acordou e lutou contra a ação do narcótico. O pensamento do dever não cumprido sacudia seu torpor. Deixou o leito e, tropeçando, apoiando-se às paredes, tombando e levantando, mas sempre e irresistivelmente impelido por uma espécie de instinto, saiu da taverna, gritando como num sonho:

– O Carnatic! O Carnatic!

O navio estava ali lançando fumaça, pronto para zarpar. Passepartout só tinha alguns passos a dar. Pulou para o convés voando, atravessou a abertura da amurada, e caiu inanimado para frente, no momento em que o Carnatic largava suas amarras.

Alguns marinheiros, gente habituada a este tipo de cena, conduziram o pobre rapaz para um camarote de segunda, e Passepartout só acordou no dia seguinte de manhã, a 150 milhas das terras da China.

Eis por que naquela manhã Passepartout se achava sobre o convés do Carnatic e vinha aspirar a plenos pulmões as frescas brisas marinhas. O ar puro o despertou. Começou a juntar as ideias e conseguiu, a duras penas. Mas, afinal, lembrou-se das cenas da véspera, das confidências de Fix, da taverna, etc.

– É evidente – disse ele para si mesmo, que estava abominavelmente intoxicado! O que Mr. Fogg dirá? De qualquer forma, não perdi o barco, e isso é o principal.

Então, pensando em Fix:

– Quanto a aquele, espero que não tenha se atrevido a nos seguir no Carnatic depois do que ele me propôs. Um inspetor de polícia, um detetive no encalço do meu patrão, acusando desse roubo cometido no Bank of England! Se o Sr. Fogg é um ladrão, eu sou um assassino!

Passepartout pensou se deveria dizer essas coisas ao seu patrão. Deveria lhe revelar o papel desempenhado por Fix neste caso? Não seria melhor esperar que ele viesse para Londres, contar que um oficial da Polícia Metropolitana girava ao redor do mundo e riu dele? Sim, sem dúvida. Em qualquer caso, um assunto a ser considerado. O mais urgente era reunir-se com o Sr. Fogg e fazê-lo pedir desculpas por essa conduta indescritível.

Passepartout ficou em pé. O mar era tormentoso, e o vapor rolou fortemente. O rapaz, com as pernas ainda bambas, ganhou, da melhor forma possível, a parte de trás do navio.

No convés, ele não viu ninguém que se parecesse tanto com seu patrão ou com a Sra. Aouda. Pensou:

– Sra. Aouda ainda está na cama a esta hora. Quanto ao Sr. Fogg, ele pode ter encontrado algum jogador de whist e, como de costume...

Passepartout desceu ao salão. O Sr. Fogg não estava lá. Passepartout tinha apenas uma coisa a fazer: para perguntar que cabine estava ocupando o Sr. Fogg. O comissário respondeu que não conhecia nenhum passageiro com esse nome. Passepartout insistiu:

– Perdoe-me, é um cavalheiro, alto, sério, pouco comunicativo, acompanhado por uma jovem senhora...

– Não temos nem uma mulher a bordo – respondeu o funcionário. Além disso, aqui está a lista de passageiros. Pode consultá-la.

Passepartout consultou a lista... O nome de seu patrão não estava lá. Então uma ideia cruzou seu cérebro.

– Ah! Estou no Carnatic?

– Sim! – respondeu o rapaz.

– A caminho para Yokohama?

– Perfeitamente.

Passepartout teve por um momento o medo de se enganar de um navio. Mas se ele estava no Carnatic, era certo que seu patrão não estava lá.

Passepartout caiu em uma poltrona. E de repente veio uma luz. Ele lembrou que a hora da partida do Carnatic tinha sido adiantado, que ele devia informar seu patrão e que ele não fizera isso! Então, foi culpa dele o Sr. Fogg e a Sra. Aouda haviam perdido essa partida!

Sua culpa, sim. Fora vítima daquele traidor que, para separá-lo de seu patrão para mantê-lo em Hong Kong, o dopou! Por fim, ele entendeu a manobra do inspetor de polícia. E agora, o Sr. Fogg, certamente arruinou, perdeu a aposta. Passepartout, a esse pensamento, arrancou os cabelos. Ah! Se alguma vez, Fix caísse em sua mão, acertaria as contas!

Por fim, após o primeiro momento de exaustão, Passepartout recuperou a compostura e estudou a situação. Ela não era viável. O francês estava a caminho do Japão. Com certeza chegaria lá, como isso aconteceria? Ele tinha bolsos vazios, sem um xelim, nem um centavo! No entanto, sua passagem e comida a bordo foram pagos. Então ele teve cinco ou seis dias antes para se decidir. Se ele comesse e bebesse, não poderia ser cobrado. Ele comeu por seu patrão, pela Sra. Aouda e por ele mesmo. Comeu como se o Japão ficasse no deserto, sem qualquer substância comestível.

No dia 13, de manhã, o Carnatic entrou no porto de Yokohama. É uma ruptura importante do Pacífico, onde todos os navios a vapor empregados pelos correios e transporte de passageiros viajam entre a América do Norte, a China, o Japão e as ilhas da Malásia. Yokohama está situado na própria baía de Edo, a uma curta distância desta imensa cidade, a segunda capital do império japonês.

O Carnatic chegou ao cais de Yokohama, perto dos cais do porto, repleto de lojas aduaneiras, no meio de muitos navios pertencentes a todas as nações.

Passepartout pisou, sem qualquer entusiasmo nessa curiosa terra dos filhos do Sol. Ele não tinha nada melhor para fazer do que aventurar-se pelas ruas da cidade.

Passepartout encontrou-se primeiro em uma cidade absolutamente europeia, com casas com fachadas baixas, adornadas com varandas sob as quais se desenvolveram peristilos elegantes e que cobriam suas ruas, praças, docas, armazéns, Ali, como em Hong Kong, como em Calcutá, passavam pessoas de todas as nacionalidades: americanos, ingleses, chineses, holandeses, comerciantes prontos para vender e comprar tudo, no meio do qual o francês também era estrangeiro, como se tivesse sido jogado na terra dos hotentotes.

Passepartout tinha um recurso: recomendar-se aos agentes consulares franceses ou ingleses estabelecidos em Yokohama. Mas ele estava relutante em contar sua história, tão intimamente misturada com a de seu patrão, e antes de chegar a isso, esgotaria todas as outras chances.

Tendo viajado pela parte europeia da cidade, sem nenhum contratempo, ele chegou ao lado japonês e resolveu seguir até Edo.

Esta porção nativa de Yokohama é chamada Benten, em homenagem a uma deusa do mar, adorada nas ilhas vizinhas. Havia várzeas admiráveis de abetos e portas sagradas de arquitetura estranha, pontes enterradas em meio a bambus e palhetas, templos protegidos sob a imensa e melancólica cobertura de cedros centenários. Circulavam monges budistas e os seguidores da religião de Confúcio, ruas intermináveis com crianças de tez rosa e bochechas vermelhas e gatos amarelados, sem caudas, muito preguiçosos e carinhosos.

Nas ruas tumultuadas, seguiam incessantes, de um lado para o outro: bonzos passando em procissão, batendo seus monótonos tamborins, yakunins, oficiais de alfândega ou polícia, com chapéus pontudos embutidos com laca e carregando dois sabres no cinto, soldados vestidos com roupas de algodão azul com listras brancas e armados com uma arma de percussão, muitos militares de todos os tipos. No Japão, soldados são tão estimados como são desprezados na China. Circulavam irmãos, peregrinos com roupas longas, civis simples, de cabelos lisos feito ébano preto, cabeça grande, busto longo, pernas esbeltas, baixa altura, tez colorida de tons escuros de cobre, para o branco mate, mas nunca amarelo como o dos chineses, dos quais os japoneses diferem essencialmente. Finalmente, entre carros, palanquins, cavalos, barracas de velas, carruagens com paredes de laca, pés, sapatos de lona, sandálias de palha ou tamancos de madeira forjada, algumas mulheres bonitas, com olhos oblíquos, seios comprimidos, dentes enegrecidos, mas elegantes, vestindo o vestuário nacional, o quimono, uma espécie de roupão cruzado por um lenço de seda, cujo cinto largo floresceu atrás em um nó extravagante, que as mulheres parisienses modernas parecem ter emprestado das japonesas.

Passepartout caminhou por algumas horas no meio desta multidão multicolorida, observando também as lojas curiosas e opulentas, os bazares em que todas as joias douradas estavam embaladas, restaurantes adornados com bandeirinhas e faixas, nas quais ele estava proibido de entrar, e aquelas casas de chá, onde a água quente cheirosa é bebida, com saquê, um vinho de arroz fermentado e fumantes que tragam um tabaco muito fino e não o ópio, cujo uso é quase desconhecido no Japão.

Passepartout chegou a imensas plantações de arroz. Os campos estavam cheios de flores que lançaram suas últimas cores e perfumes. Eram camélias brilhantes em árvores e, nas canaletas de bambu, cerejeiras, ameixas e macieiras, que os nativos cultivam mais pelas suas flores do que pelos seus frutos. Espantalhos sujos entre girassóis que se defendem de bicos de pardais, pombos, corvos e outros pássaros vorazes. Não havia nenhum cedro majestoso que protegesse qualquer águia grande; nenhum salgueiro choroso que não cobriu com sua folhagem uma melancólica garça empoleirada em uma pata. Em todos os lugares, corvos, patos, falcões, gansos selvagens e grous, que simbolizam a longevidade e a felicidade.

Em seu passeio, Passepartout percebeu algumas violetas entre as gramas:

– Bom! – disse ele – aqui está a minha ceia.

Mas percebeu que não tinha nenhum perfume e pensou:

– Não tenho sorte!

O bom rapaz havia se prevenido para se abastecer antes de deixar o Carnatic, mas depois de um dia de caminhada sentiu seu estômago muito vazio. Notou que ovelhas, cabritos ou porcos estavam totalmente disponíveis nos mostruários de açougues e, sabendo que era um sacrilégio matar os bois, reservados para as necessidades da agricultura, concluiu que o a carne era rara no Japão. Ele não se enganou, mas na ausência de carne bovina, seu estômago teria sido bem adaptado a veados, perdizes ou codornas, aves ou peixes, os quais os japoneses alimentam quase que exclusivamente com produtos dos campos de arroz. Mas ele foi obrigado a trabalhar no dia seguinte para providenciar sua comida.

A noite chegou. Passepartout voltou para a cidade e perambulou pelas ruas entre as lanternas multicoloridas, observando os grupos de bailarinos praticarem seus incríveis exercícios e os astrólogos ao ar livre, que reuniam a multidão ao redor de seus telescópios. Depois, viu novamente o porto, iluminados com os lumes dos pescadores que atraíram o peixe pelo resplendor de lanternas.

Finalmente, as ruas se esvaziaram. Vieram as rondas dos yakunins. Esses policiais, em seus magníficos trajes pareciam embaixadores, e Passepartout os cumprimentava alegremente quando encontrava algum patrulheiro:

– Muito bem! Mais um da embaixada japonesa que sai para a Europa!

Capítulo 23

Passepartout vira narigudo

No dia seguinte, Passepartout, cansado e esfomeado, percebeu que precisava dar um jeito de comer algo e urgentemente. Poderia vender o seu relógio, mas preferia morrer de fome. Era uma oportunidade para este bravo rapaz usar a voz forte, melodiosa, com que a natureza o dotara.

Sabia alguns refrãos da França e da Inglaterra, e resolveu experimentá-los. Os japoneses deveriam certamente gostar de música, pois que tudo se faz entre ao som de tambores, e deveriam por certo apreciar os talentos de um virtuose europeu.

Mas talvez fosse um pouco cedo demais para organizar um concerto, e se o público fosse despertado contra a vontade, talvez não colaborasse em pagar o cantor com uma moeda.

Passepartout decidiu-se, pois, esperar algumas horas. Na caminhada, concluiu que parecia bem vestido demais para um artista ambulante, e veio-lhe a ideia de trocar suas roupas por trajes usados, mais em harmonia com sua posição atual. Na troca, poderia conseguir um saldo, que usaria imediatamente para saciar seu apetite.

Tomada essa resolução, faltava executá-la. Foi só depois de longas buscas que Passepartout descobriu um brechó nativo, no qual expôs seu pedido. O traje europeu agradou o comerciante e pouco depois Passepartout saía envolto em uma velha roupa japonesa e com uma espécie de turbante na cabeça, desbotado pela ação do tempo. Mas, em compensação, algumas moedas de prata tilintavam em seu bolso.

O primeiro cuidado de Passepartout, assim ajaponesado, foi entrar numa casa de chá, de aparência modesta, e aí, com uns restos de ave e um punhado de arroz, almoçou como um homem para quem o jantar seria ainda um problema a ser resolvido. Saiu da loja falando:

– Bom, vou fazer de conta que estamos no carnaval!

Concluiu que não tinha condições de repetir a performance e pensou que deste país do Sol só guardaria uma lamentável lembrança. Passepartout cogitou visitar os navios de partida para a América. Pensou em se oferecer como cozinheiro ou criado, não pedindo outra retribuição além da passagem e comida. Uma vez em São Francisco, veria o que fazer. O importante era atravessar estas 4.700 milhas do Pacífico que se estendem entre o Japão e o Novo Mundo.

Passepartout não era homem de deixar fenecer uma ideia, por isso se dirigiu para o porto de Yokohama. Mas, à medida que se aproximava das docas, o projeto, que lhe havia parecido tão simples no momento em que o concebera, estava cada vez mais inexequível. Por que é que teriam necessidade de mais um cozinheiro ou de um criado a bordo de um navio americano, e que confiança inspiraria vestido assim? Que recomendações poderia dar? Que referências indicar?

Enquanto assim pensava, seus olhos caíram sobre uma espécie de palhaço, um homem-sanduíche, carregando um imenso cartaz que. Este cartaz estava escrito em inglês e dizia o seguinte:

"Trupe japonesa acrobática do Grande William Batulcar
Últimas representações antes de partir para os Estados Unidos da América
Os Narigudos Equilibristas sob a invocação direta do deus Tingou – Gran de Atração!"

Os Estados Unidos da América! – exclamou Passepartout, é justamente o que procuro!

Seguiu o homem-sanduíche, e voltou à cidade japonesa. Um quarto de hora mais tarde, parava diante de uma vasta barraca, coroada por fileiras de bandeirinhas, e cujas paredes externas representavam, sem perspectiva, mas em cores fortes, todo um grupo de malabaristas.

Era o estabelecimento do tal respeitável Batulcar, espécie de Barnum americano, diretor de uma companhia de saltimbancos, malabaristas, palhaços, acrobatas, equilibristas, ginastas, que, segundo o cartaz, fazia suas últimas apresentações antes de deixar o império do Sol para os Estados Unidos.

Passepartout entrou numa galeria que precedia a barraca e chamou Sr. Batulcar. Apareceu Batulcar em pessoa.

– O que quer? – disse a Passepartout, a quem tomou a princípio por um nativo.

– O senhor precisa de um servo? – perguntou Passepartout.

– Um servo? – gritou Batulcar, acariciando a grossa barba cinzenta que abundava sob o queixo.

– Tenho dois homens obedientes e fiéis, que nunca me deixaram e que me servem por nada, com a condição de que eu os alimente... E aqui estão eles, ele acrescentou, apontando para seus dois braços robustos, enrugados com veias tão grandes como cordas de baixo duplo.

– Então eu não posso ser útil para você?

– Ah, então é isso! – disse o respeitável Batulcar, você é tão japonês quanto eu sou um macaco! Por que está vestido assim?

– Nos vestimos como podemos!

– É verdade. Você é francês?

– Sim, um parisiense de Paris.

– Então você deve saber como fazer caretas?

– Por quê? – respondeu Passepartout, irritado por ver sua nacionalidade provocar esse pedido. Nós franceses sabemos como fazer caretas, é verdade, mas não melhor do que os americanos.

– Certo. Bem, se eu não o levar como servo, posso levá-lo como palhaço. Você entende, meu caro. Na França, exibimos palhaços estrangeiros, e em outros países, palhaços franceses!

–Ah!

– Você é forte também!

– Especialmente quando acabo de comer.

– E você sabe como cantar?

– Sim! – respondeu Passepartout, que já havia se apresentado em alguns concertos de rua.

– Mas você sabe como cantar de cabeça para baixo, com um topo giratório na sola do pé esquerdo e uma espada em equilíbrio na sola do pé direito?

– Claro! – respondeu Passepartout, que se lembrou dos primeiros exercícios de sua juventude.

– Então está tudo certo! – respondeu o Grande Batulcar.

Finalmente, Passepartout encontrou um posto. Ele estava contratado para fazer tudo na famosa trupe japonesa. Não era muito lisonjeiro, mas antes de oito dias, ele iria até São Francisco.

A performance, anunciada com grande alarme pelo Grande Batulcar foi para começar às três horas, e logo os formidáveis instrumentos de uma orquestra japonesa, com seus tambores, trovejaram na porta. Passepartout nem teve tempo de estudar um papel, mas teve que prestar o apoio de seus ombros sólidos no grande exercício da pirâmide humana pelos Narigudos do deus Tingou. Fazia parte da grande atração da performance para encerrar a série de exercícios.

Antes das três horas, os espectadores haviam invadido a barraca. Europeus e nativos, chineses e japoneses, homens, mulheres e crianças, correram nos bancos estreitos e nas caixas que estavam de frente para o palco. Os músicos voltaram para dentro, e toda a orquestra, gongos, tambores, chocalhos e flautas tocavam com fúria.

A apresentação foi como qualquer outra de acrobatas. É preciso admitir que os japoneses são os maiores artistas equilibristas do mundo. Um deles com um leque e pedacinhos de papel, fez uma apresentação graciosa com borboletas e flores. Outro, com a fumaça perfumada de seu cachimbo, esboçava rapidamente no ar uma série de palavras azuladas. O último fazia malabarismos com velas acesas, que ele extinguiu sucessivamente quando passaram antes de seus lábios, e que ele reavivou um ao outro sem interromper sua arte por um único momento. Eles corriam em tubos de tubulação, em bolhas de sabão, em fios de ferro, cabelos reais esticados de um lado do outro para o outro. Fizeram as rodadas de grandes vasos de cristal, subiram escadas de bambu, dispersos em todos os cantos, produzindo efeitos harmoniosos de um personagem estranho, combinando seus vários tons. Os malabaristas fizeram malabarismos com eles, e eles se viraram no ar.

Não é necessário descrever aqui os exercícios prodigiosos dos acrobatas e ginastas da trupe. As torres da escada, o poste, a bola, os barris, etc. foram executados com notável precisão. Mas a principal atração do desempenho foi a exibição desses Narigudos, atores equilibristas incríveis que a Europa ainda não conhece.

Os Narigudos formam uma corporação particular colocada sob a invocação direta do deus Tingou. Vestidos como arautos da Idade Média, eles usavam um esplêndido par de asas nos ombros. Mas o que mais os distinguia era o nariz longo cujo rosto estava embelezado, e especialmente o uso que faziam dele. Estes narizes eram nada menos que bambus, cinco, seis, dez pés de comprimento, alguns retos, outros curvados, os últimos lisos, os verrucosos. Foi nesses apêndices, fixados de forma sólida, que todos os seus exercícios de equilíbrio ocorreram. Uma dúzia desses seguidores do deus Tingou deitou-se de costas, e seus camaradas cavalgavam no nariz, erguidos como raios, pulando, passando do último para aquele, e executando os truques mais improváveis.

Passepartout entrou em cena, e se perfilou com seus colegas que deveriam figurar na base do carro de juggernaut. Todos se estenderam no chão com o nariz para o céu. Uma segunda fileira de equilibristas veio pousar sobre estes longos apêndices, uma terceira colocou-se por cima, depois uma quarta, e sobre estes narizes que só se tocavam pelas pontas. Era um monumento humano que se elevou bem depressa até as frisas do teatro.

Ora, os aplausos redobravam, e os instrumentos da orquestra explodiam como trovoadas, quando a pirâmide oscilou, o equilíbrio se rompeu, faltou um dos narizes da base, e o monumento desmoronou como um castelo de cartas...

Foi culpa da Passepartout, que, abandonando seu posto, cruzou a rampa sem o auxílio de suas asas e subiu a galeria direita e caiu aos pés de um espectador, exclamando:

– Patrão! Patrão!

– Você?

– Eu!

– Corra para o navio, rapaz! – gritou Sr. Fogg.

Passepartout havia atravessado os corredores fora da barraca. Mas lá encontraram o Grande Batulcar, furioso. Exigia reparação do prejuízo. Phileas Fogg pacificou sua fúria jogando um punhado de dinheiro. E às seis e meia, todos subiram no vapor: Sr. Fogg, Sra. Aouda e o Passepartout, com as asas nas costas e, no rosto, o nariz de seis pés que ele ainda não conseguiu arrancar de seu rosto!

Capítulo 24

A travessia do Oceano Pacífico

O que aconteceu quando chegaram perto de Xangai, já se sabe. Os sinais feitos pela Tankadère tinham sido notados pelo navio para Yokohama. O capitão, vendo uma bandeira a meio pau, dirigira-se para a pequena escuna. Instantes depois Phileas Fogg, pagando as passagens pelo preço combinado, punha no bolso do comandante John Bunsby quinhentas e cinquenta libras. Depois, o respeitável cavalheiro, Sra. Aouda e Fix tinham subido a bordo do vapor, que logo se pôs a caminho de Nagasaki e Yokohama.

Tendo chegado naquela mesma manhã, 14 de novembro, Phileas Fogg, deixou Fix ir tratar de seus assuntos e foi até o Carnatic, e lá soube, para grande felicidade de Sra. Aouda – e talvez a sua, mas que não deixou transparecer – que o francês Passepartout havia efetivamente chegado na véspera em Yokohama.

Phileas Fogg, que devia partir naquela mesma noite para São Francisco, começou imediatamente a procurar o criado. Foi aos agentes consulares francês e inglês, e, depois de ter percorrido inutilmente as ruas de Yokohama, já perdia a esperança de encontrar Passepartout, quando o acaso, ou talvez uma espécie de premonição, o fez entrar na tenda do Grande Batulcar. Não teria, por certo, reconhecido seu servidor sob a ridícula roupa de arauto. Mas Passepartout, em sua posição deitada, avistou o patrão na galeria.

Não pôde conter um movimento de seu nariz. Daí a quebra do equilíbrio e tudo o que se seguiu.

Eis o que Passepartout ouviu da própria boca de Sra. Aouda, que lhe contou então como fora feita a travessia de Hong Kong a Yokohama, em companhia de um tal Sr. Fix, na escuna Tankadère.

Ao ouvir o nome de Fix, Passepartout nem pestanejou. Pensou que ainda não chegara o momento de dizer ao patrão o que se passara entre o inspetor de polícia e ele. Assim, ao narrar suas aventuras, acusou-se e pediu desculpa somente por ter sido surpreendido pelo entorpecimento do ópio numa taverna de Hong Kong.

Sr. Fogg escutou friamente o relato, sem responder. Depois, deu ao criado um dinheiro suficiente para que comprasse no navio trajes mais convenientes. E, com efeito, não passara ainda uma hora, e o bom rapaz, tendo tirado o nariz postiço e cortado as asas, não tinha mais nada em si que recordasse o seguidor do deus Tingou.

O navio que fazia a travessia de Yokohama a São Francisco pertencia à Companhia do Pacific Mail Steam, e chamava-se General Grant. Era um grande vapor de rodas, deslocando 2.500 toneladas, bem construído e dotado de grande velocidade. Um enorme balancim subia e descia sucessivamente sobre o convés. Numa das suas extremidades articulava-se o cabo de um pistão, e na outra, o de uma biela que, transformando o movimento retilíneo em movimento circular, o aplicava diretamente no eixo das rodas do vapor.

O General Grant estava dotado de três mastros e possuía uma grande superfície de pano, que ajudava poderosamente o vapor. Mantendo suas doze milhas por hora, o navio não deveria levar mais de 21 dias para atravessar o Pacífico. Phileas Fogg estava, pois, autorizado a crer que, chegando em 2 de dezembro a São Francisco, estaria dia 11 em Nova York e dia 20 em Londres. Anteciparia assim em algumas horas a data fatal de 21 de dezembro.

Os passageiros eram bem numerosos a bordo do vapor: ingleses, muitos americanos, uma verdadeira emigração de trabalhadores para a América, e um certo número de oficiais do exército das Índias, que aproveitavam sua licença para fazer a volta ao mundo.

Durante esta travessia não houve nenhum incidente náutico. O navio, sustentado sobre suas largas rodas, apoiado no seu forte velame, jogava pouco. O Oceano Pacífico justificava bem seu nome. Sr. Fogg estava tão calmo, tão pouco comunicativo como de costume. Sua jovem companhia cada vez se sentia mais e mais ligada a aquele homem por outros laços que não os do reconhecimento. Esta silenciosa natureza, tão generosa em suma, a impressionava mais do que suspeitara, e, fora quase sem dar por isso que ela se deixou levar por sentimentos dos quais o enigmático Fogg não parecia sentir nenhuma influência.

Sra. Aouda interessava-se extraordinariamente pelos projetos do cavalheiro. Inquietava-se com os contratempos que poderiam comprometer o êxito da viagem. Frequentemente conversava com Passepartout, que não deixava de perceber o que se passava no coração de Sra. Aouda. O bravo moço tinha, agora uma fé cega sobre seu patrão. Não se cansava de elogiar a honestidade, a generosidade, a dedicação de Phileas Fogg. Depois tranquilizava Sra. Aouda sobre o sucesso da viagem, repetindo que o mais difícil já passara, que haviam saído dos exóticos países como a China e o Japão, que retornavam às regiões civilizadas, e que afinal um trem de São Francisco a Nova York e um transatlântico de Nova York a Londres bastariam, sem dúvida, para concluir esta impossível volta ao mundo no prazo combinado.

Nove dias depois de ter deixado Yokohama, Phileas Fogg tinha percorrido exatamente a metade do globo terrestre.

Com efeito, o General Grant, em 23 de novembro passou para o octogésimo meridiano, aquele no qual se acham, no hemisfério austral, os antípodas de Londres. Dos oitenta dias postos à sua disposição Sr. Fogg gastara cinquenta e dois, e só lhe restavam vinte e oito. Mas é preciso notar que se o cavalheiro se achava somente no meio da viagem pela diferença dos meridianos, tinha na realidade concluído mais de dois terços do percurso total. Que desvios forçados, com efeito, de Londres a Aden, de Aden a Bombaim, de Calcutá a Cingapura, de Cingapura a Yokohama!

Seguindo circularmente o quinquagésimo paralelo, que é o de Londres, a distância teria sido só de 12.000 milhas aproximadamente, ao passo que Phileas Fogg se vira forçado, pelos caprichos dos meios de locomoção, a percorrer 26.000 milhas, das quais fizera cerca de 16.000 até dia 23 de novembro. Mas agora a rota seria reta, e Fix não estava mais por ali para aumentar os obstáculos!

Em 23 de novembro, Passepartout experimentou uma grande alegria. Lembrem, os que o cabeça-dura tinha se obstinado a manter a hora de Londres em seu famoso relógio de família, considerando falsas todas as horas dos países que atravessara. Ora, naquele dia, apesar de não o ter nem adiantado nem atrasado, seu relógio estava de acordo com os cronômetros do navio.

Nem é preciso dizer que Passepartout se exultava. Bem que teria gostado de saber o que Fix diria, se estivesse presente. E pensou:

– Esse patife que me contou um monte de histórias sobre os meridianos, o sol, a lua! Se escutássemos, faríamos uma relojoaria fina! Eu tinha certeza de que um dia ou outro, o Sol decidiria se instalar no meu relógio!

Passepartout ignorava isso: se o mostrador de seu relógio tivesse sido dividido em vinte e quatro horas como os relógios italianos, ele não teria razão para triunfar, pelos ponteiros de seu instrumento, quando eram às nove horas da manhã uma manhã a bordo, indicou as nove horas da noite, ou seja, a vigésima primeira hora desde a meia-noite. Uma diferença exatamente igual à de Londres e ao cento e oitenta meridianos.

Mas se Fix pudesse explicar este efeito puramente físico, Passepartout, sem dúvida, teria sido incapaz, se não de entendê-lo, pelo menos, admitir isso. E, em todo caso, se o inspetor da polícia se apresentasse inesperadamente a bordo neste momento, é provável que Passepartout, com uma boa razão, tenha tratado com ele um assunto muito diferente.

Onde estava Fix agora? Fix estava a bordo do General Grant.

Ao chegar a Yokohama, o agente, abandonando o Sr. Fogg, que ele esperava recuperar no decorrer do dia, visitou imediatamente o cônsul inglês. Lá, ele finalmente encontrou o mandado, que, correndo atrás dele de Bombaim, tinha já quarenta dias, um mandado que lhe fora enviado de Hong Kong pelo mesmo Carnatic, a bordo do qual ele estaria. Imagine o desapontamento do detetive! O mandado tornou-se inútil! O senhor Fogg deixou as possessões inglesas! Só um ato de extradição poderia detê-lo!

– Que seja! – disse Fix, depois do primeiro momento de raiva, meu mandado já não é bom aqui, será na Inglaterra. Esse canalha parece estar voltando para seu país natal, acreditando ter driblado a polícia. Bom. Eu o seguirei até então. Quanto ao dinheiro, Deus conceda que permaneça! Mas em viagens, bônus, provações, multas, elefantes e todos os tipos de despesas, meu homem já deixou mais de cinco mil libras a caminho. Ainda bem que o banco é rico!

Imediatamente embarcou no General-Grant, e Fix estava a bordo, quando o Sr. Fogg e a Sra. Aouda chegaram lá. Para sua extrema surpresa, ele reconheceu Passepartout fantasiado. No mesmo instante, ele se escondeu na cabine, a fim de evitar uma explicação que poderia comprometer tudo, e, pelo número de passageiros, ele não esperava ser visto pelo inimigo, quando exatamente esse dia ele se encontrou cara a cara na frente do navio.

Passepartout saltou no pescoço de Fix sem mais explicações, e para o deleite de alguns americanos que imediatamente falaram por ele, ele deu um tremendo soco no inspetor, uma prova da superioridade do boxe francês sobre o inglês.

Quando Passepartout terminou, ficou calmo e aliviado. Fix levantou-se em péssimo estado e, olhando para o adversário, disse friamente:

– Já acabou?

– Sim, por enquanto.

– Então venha falar comigo.

– Que eu...

– É do interesse do seu patrão.

Passepartout, como subjugado por essa frieza, seguiu o inspetor da polícia e ambos se sentaram na frente do navio.

– Você me bateu! – disse Fix. Bom. Agora ouça-me. Até agora, fui o oponente do Sr. Fogg, mas agora estou no seu jogo.

– Agora você acha que ele é um homem honesto?

– Não – respondeu Fix, friamente – acho que ele é um canalha. Não se mexa e deixe-me dizer. Enquanto o Sr. Fogg estava nas possessões inglesas, tive interesse em detê-lo enquanto aguardava um mandado de prisão. Eu fiz tudo por isso. Eu lancei contra ele os sacerdotes de Bombaim, eu o embriaguei em Hong Kong, eu o separei de seu patrão e o fiz perder o vapor de Yokohama...

Passepartout ouviu, apertando as mãos.

Fix continuou:

– Agora o Sr. Fogg parece estar voltando para a Inglaterra. Eu o seguirei. Mas, de agora em diante, deixarei de lado os obstáculos de sua estrada com tanto cuidado e zelo como eu até agora tive que acumular. Você vê, meu jogo mudou, e isso acontece porque eu quero. Eu acrescento que seu interesse é o mesmo que o meu, pois é somente na Inglaterra que você saberá se você está a serviço de um homem criminoso ou honesto!

Passepartout ouviu atentamente e se convenceu de que Fix tinha razão.

– Somos amigos? – perguntou Fix.

– Amigos, não, aliados, sim, e sob o benefício da dúvida, diante de menor indício de traição, torço seu pescoço! – respondeu Passepartout.

– Concordo! – disse o inspetor de polícia calmamente.

Onze dias depois, em 3 de dezembro, o General Grant entrou na baía Porte-d'Or e chegou a São Francisco.

O Sr. Fogg ainda não ganhou ou perdeu um único dia.

Capítulo 25

São Francisco, em dia de tumulto nas ruas

Eram sete da manhã quando Sr. Phileas Fogg, Sra. Aouda e Passepartout puseram o pé no continente americano, se podemos dar esse nome ao cais flutuante em que desembarcaram. Estes cais, subindo e descendo com a maré, facilitam a carga e a descarga dos navios. Neles é que atracam embarcações de todas as dimensões, de todas as nacionalidades, e há barcas de muitos andares que fazem o serviço do Sacramento e seus afluentes. É aí também que se amontoam os produtos de um comércio que se estende ao México, Peru, Chile, Brasil, Europa, Ásia, a todas as ilhas do oceano Pacífico.

Quando caiu sobre o cais, Passepartout, em sua alegria de tocar afinal a terra americana, resolveu fazer o desembarque executando um salto mortal no melhor estilo. Mas quando caiu sobre o cais, cujo tablado estava cheio de cupins, não conseguiu fazer a volta. Soltou um sonoro grito, que fez voar um grande número de corvos e pelicanos, hóspedes habituais dos cais móveis.

Sr. Fogg, assim que desembarcou, informou-se da hora em que partia o primeiro trem para Nova York. Era às seis da tarde. Sr. Fogg tinha um dia inteiro para gastar na capital californiana. Fez vir um veículo para Sra. Aouda e para si. Passepartout subiu na boleia, e o veículo, a três dólares a corrida, dirigiu-se para o International Hotel.

Do lugar elevado que ocupava, Passepartout observou com curiosidade a grande cidade americana: ruas largas, casas baixas bem alinhadas, igrejas e templos de um gótico anglo-saxão, docas imensas, armazéns como palácios, uns de madeira, outros de tijolos. Nas ruas, carruagens numerosas, ônibus, veículos de todos os tipos. Nas calçadas encobertas, não apenas americanos e europeus, mas também chineses e indianos, gente de todas as nacionalidades para compor uma população de mais de duzentos mil habitantes.

Passepartout ficou muito surpreso com o que viu. Ele estava ainda na cidade legendária de 1849, na cidade dos bandidos, dos incendiários e dos assassinos, vindos em busca das pepitas, imenso aglomerado de todos os desclassificados, onde se jogava ouro em pó, um revólver numa mão e um punhal na outra. Mas esse bom tempo já tinha passado. São Francisco apresentava o aspecto de uma grande cidade comercial. A alta torre da prefeitura, onde vigiavam sentinelas, dominava um conjunto de ruas e de avenidas, que se cruzavam em ângulos retos, entre as quais se abriam praças verdejantes; depois um bairro chinês que parecia ter sido importado do império celeste em uma caixa de brinquedo. Nada de sombreros, nada de camisas vermelhas, nada de índios emplumados, mas chapéus de seda e roupas pretas, trajadas por um grande número de cavalheiros trabalhadores. Certas ruas semelhantes a, entre outras, Montgommery Street – a Regent Street de Londres, o Boulevard des Italiens de Paris, a Broadway de Nova York – eram ladeadas por lojas esplêndidas que ofereciam à sua clientela os produtos do mundo inteiro.

Quando Passepartout chegou ao International Hotel, não lhe parecia ter saído de Londres.

O térreo do hotel era ocupado por um imenso bar, espécie de café-restaurante gratuito, aberto a todos, que poderiam ali consumir carne seca, sopa de ostras, biscoitos e carne de aves, sem ter que abrir a carteira. Só se paga pela bebida: cerveja, porto ou xerez. Passepartout achou isso "muito americano".

O restaurante do hotel era confortável. Sr. Fogg e Sra. Aouda sentaram-se a uma mesa e foram abundantemente servidos em pratos liliputianos por homens negros, do mais belo negro.

Depois de almoçar, Phileas Fogg, acompanhado de Sra. Aouda, deixou o hotel para ir ao consulado inglês, visar seu passaporte. Na calçada encontrou o criado, que lhe perguntou se, antes de pegar a estrada de ferro do Pacífico, não seria mais prudente comprar algumas dúzias de rifles Enfield ou de revólveres Colt. Passepartout ouvira falar de índios sioux e pawnees, que param os trens como simples ladrões espanhóis. Sr. Fogg respondeu que era uma precaução inútil, mas deu-lhe liberdade para agir como bem lhe aprouvesse. Depois dirigiu-se para o escritório do agente consular.

Phileas Fogg nem tinha dado duzentos passos quando, "pelo maior dos acasos", encontrou Fix. O inspetor mostrou-se extremamente surpreso. Como?! Sr. Fogg e ele tinham feito juntos a travessia do Pacífico, e não tinham se encontrado no navio! Fosse como fosse, Fix não podia deixar de se sentir honrado em tornar a ver o cavalheiro a quem devia tanto, e, como os seus negócios o chamavam à Europa, ficaria encantado em prosseguir viagem em tão agradável companhia. Sr. Fogg respondeu que a honra seria sua, e Fix – que insistia em não o perder de vista – pediu permissão para acompanhá-los na visita a esta curiosa cidade de São Francisco. Foi-lhe concedida.

Sra. Aouda, Sr. Fogg e Sr. Fix passearam descontraidamente pelas ruas. Logo estavam na Montgomery Street, onde a afluência popular era enorme. Nas calçadas, no meio da rua, sobre os trilhos dos bondes, apesar da passagem incessante de carruagens e ônibus, no interior das lojas, nas janelas de todas as casas, e mesmo sobre os telhados, havia uma multidão imensa. Homens-sanduíches circulavam no aglomerado. Bandeirinhas e bandeirolas flutuavam ao vento. Gritos eclodiam por toda parte. De repente, perceberam gritos:

– Viva Kamerfield!

– Viva Mandiboy!

– Uma comemoração! – Este foi pelo menos o pensamento de Fix, e ele comunicou sua ideia ao Sr. Fogg, acrescentando:

– Nós temos de nos cuidar para não nos envolvermos com essa multidão. Podemos receber golpes ruins.

– Na verdade, respondeu Phileas Fogg, os socos são para os políticos, mas se nos acertarem, machucam!

Fix pensou que era seu dever sorrir ao ouvir esta observação e, para ver sem entrar na briga com Aouda e Phileas Fogg, e tomou seu lugar no desembarque superior de uma escada que servia um terraço, situado no topo da rua Montgomery. Frente a eles, do outro lado da rua, entre o cais de um comerciante de carvão e a loja de um comerciante de petróleo, havia um grande escritório ao ar livre, ao qual as várias correntes da multidão pareciam convergir.

E agora, por que esse aglomerado? Qual a comemoração? Phileas Fogg não sabia disso. Foi a nomeação de um exército militar ou funcionário público, um governador de estado ou um membro do congresso? Era possível conjecturar, ver a extraordinária animação que excitava a cidade.

Sr. Fogg, Sra. Aouda e Fix encontraram-se entre dois fogos. Era muito tarde para escapar. Batalhão de homens, armados com bengalas de metal e com porretes, era irresistível. Phileas Fogg e Fix, na defesa da jovem, foram horrivelmente sacudidos. Sr. Fogg, não menos impassível do que de costume, quis defender-se com as armas naturais que a natureza pôs na extremidade dos braços de todo inglês, mas inutilmente. Um homenzarrão de barba avermelhada, rosto afogueado, ombros largos, que parecia ser o chefe do bando, levantou seu formidável punho sobre Sr. Fogg, e teria espancado o cavalheiro, se Fix não tivesse recebido o golpe em seu lugar. Um enorme galo se desenvolveu instantaneamente sob o chapéu de seda do detetive, transformado em simples boné.

– Yankee! – disse Fogg, lançando um olhar de profundo desprezo ao adversário.

– Inglês! – respondeu o outro.

– Nos encontraremos novamente!

– Se fizer questão... Qual o seu nome?

– Phileas Fogg, e seu?

– Coronel Stamp W. Proctor.

Depois, a confusão passou. Fix foi derrubado e se levantou, com a roupa despedaçada, mas sem ferimentos sérios. Seu paletó de viagem tinha sido separado em duas partes desiguais, e as suas calças se pareciam com calças indianas, sem fundilhos. Mas, em suma, Sra. Aouda tinha sido poupada, e, só, Fix tinha apanhado.

– Obrigado, disse o Sr. Fogg ao inspetor, assim que saíram do tumulto.

– Não foi nada! – respondeu Fix, mas venha.

– Aonde?

– A uma loja de roupas.

Com efeito, esta visita era oportuna. As vestes de Phileas Fogg e de Fix estavam em frangalhos, como se estes dois cavalheiros tivessem brigado por causa dos dignos Kamerlield e Mandiboy.

Uma hora depois, estavam convenientemente vestidos e penteados. Em seguida voltaram ao Internacional Hotel.

Passepartout esperava seu patrão, armado com meia dúzia de revólveres de seis tiros e fogo central. Quando viu Fix em companhia de Sr. Fogg, fechou a cara. Mas Aouda o tranquilizou, contando em poucas palavras o que se passara. Evidentemente Sr. Fix não era mais um inimigo, era um aliado. Mantinha a sua palavra.

Quando o jantar terminou, veio uma carruagem que deveria conduzir os viajantes e seus pertences à estação. No momento de subir no veículo, Sr. Fogg disse a Fix:

– Voltou a ver o coronel Proctor?

– Não, respondeu Fix.

Voltarei à América para o reencontrar, disse friamente Phileas Fogg. Não foi conveniente um cidadão inglês se deixar tratar assim.

O inspetor sorriu e não respondeu. Mas, como vemos, o Sr. Fogg era daquela raça de ingleses, que, se não toleram o duelo em casa, lutam no exterior quando se trata de defender sua honra.

Às quinze para as seis, os viajantes chegaram à estação e encontraram o trem pronto para sair. No momento em que o Sr. Fogg estava prestes a embarcar, ele avistou um funcionário e perguntou:

– Meu amigo, disse ele, algum problema em San Francisco hoje?

– Foi uma reunião, senhor - respondeu o funcionário.

– Parecia uma agitação nas ruas!

– Foi simplesmente uma reunião organizada para uma eleição.

– Eleição para um cargo importante, sem dúvida? – perguntou o Sr. Fogg.

– Não, senhor, de um juiz de paz.

Com esta resposta, Phileas Fogg entrou na carruagem e o trem saiu.

Capítulo 26

No trem da Estrada de Ferro do Pacífico

"Oceano para o oceano" – dizem os americanos. É esse o conceito do "grande trator" que cruza os Estados Unidos. É uma linha ferroviária que se divide em duas partes: Central Pacific entre São Francisco e Ogden e União Pacífic, entre Ogden e Omaha. Lá se encontram cinco linhas distintas, que põem Omaha em comunicação frequente com Nova York.

Portanto, Nova York e São Francisco se ligam por uma faixa de metal ininterrupta que não mede menos de 3.786 milhas. Entre Omaha e o Pacífico, a estrada de ferro percorre um território ainda frequentado pelos índios e por animais. É uma vasta extensão territorial que os mórmons começaram a colonizar por volta de 1845, depois que foram expulsos de Illinois.

Antes, em circunstâncias favoráveis, demoravam seis meses para ir de Nova York a São Francisco. Atualmente, apenas sete dias.

Foi em 1862 que, apesar da oposição dos deputados do Sul, que queriam uma linha mais meridional, que a ferrovia foi traçada entre os paralelos quarenta e um e quarenta e dois. O presidente Lincoln fixou pessoalmente, no estado de Nebraska, na cidade de Omaha, o ponto inicial do novo ramal. Os trabalhos foram logo iniciados e tocados no estilo americano, sem muitos papéis ou burocracia. A rapidez da mão de obra não deveria prejudicar de forma alguma a boa execução da estrada. Na pradaria, os trabalhos avançaram na proporção de uma milha e meia por dia. Uma locomotiva, rolando sobre os trilhos da véspera, levava os trilhos do dia seguinte, e se corria por eles assim que eram assentados.

A Pacific Railroad lança diversos ramais em seu percurso, nos Estados de Iowa, Kansas, Colorado e Oregon. Saindo de Omaha, costeia a margem esquerda do Platte River até a junção com o ramal do norte, segue a ramificação do sul, cruza o território de Laramie e as montanhas Wahsatch. Depois, contorna o Great Salt Lake, chega a Salt Lake City, a capital dos mórmons, penetra pelo vale da Tuilla, pelo deserto americano, as montanhas de Cedar e Humboldt, Humboldt River, Sierra Nevada, e torna a descer por Sacramento até o Pacífico. Esse traçado nunca ultrapassa em nada os cento e doze pés por milha, mesmo na travessia das montanhas Rochosas.

Era essa a longa artéria que os trens percorreriam em sete dias, e que iria permitir ao Phileas Fogg pegar, dia 11, em Nova York, o navio para Liverpool. Pelo menos ele esperava fazer isso.

O vagão ocupado por Phileas Fogg era uma espécie de ônibus comprido que repousava sobre dois trens formados por quatro rodas cada um, cuja mobilidade permitia executar curvas de pequeno raio. No interior, nada de compartimentos: duas filas de assentos, dispostos de cada lado, perpendicularmente ao eixo, e entre os quais havia uma passagem que conduzia às cabines destinadas aos sanitários e outros serviços disponíveis em cada vagão. Sobre toda a extensão do trem, os veículos se comunicavam através de corredores, e os viajantes podiam circular de uma extremidade à outra do comboio, que contava com vagões-salões, vagões-terraços, vagões-restaurantes e vagões-cafés. Só faltavam vagões-teatros. Mas algum dia haverá.

Sobre os corredores circulavam incessantemente vendedores de livros e de jornais, anunciando sua mercadoria, e vendedores de bebidas, comidas, charutos, aos quais não faltavam compradores.

Os viajantes tinham partido da estação de Oakland às seis horas da tarde. Já era noite – uma noite fria, sombria, com um céu coberto de nuvens que ameaçavam desfazer-se em neve. O trem não andava com grande rapidez.

Considerando as paradas, esse trem não percorria mais de vinte milhas por hora, velocidade que deveria permitir atravessar os Estados Unidos no tempo regulamentar.

Era pouca a conversa no trem., e o sono logo iria tomar conta dos viajantes. Passepartout estava sentado atrás do inspetor de polícia, mas não falava com ele. Desde os últimos acontecimentos, suas relações tinham esfriado muito. Nada de simpatia, nada de intimidade. Fix não tinha mudado nada em sua maneira de ser. Já o Passepartout, por sua vez, se mantinha com uma extrema reserva, pronto para à menor suspeita esganar seu antigo amigo.

Uma hora depois da partida do trem, a neve caiu, uma neve fina, que não poderia, felizmente, atrasar a marcha do comboio. Só se via através das janelas uma imensidão branca, sobre a qual o vapor desenhava aspirais acinzentadas.

Um funcionário da companhia entrou no vagão às oito da noite e anunciou aos viajantes que a hora de dormir tinha chegado. Era um vagão-leito, que em poucos instantes foi transformado em dormitório. Os encostos dos bancos se desdobraram, os colchonetes cuidadosamente embrulhados se desenrolaram por um sistema engenhoso, cabinas foram improvisadas e cada viajante teve logo à sua disposição um leito confortável, que espessas cortinas protegiam de qualquer olhar indiscreto. Os lençóis eram brancos, os travesseiros macios. Bastava deitar e dormir, o que cada um fez como se estivesse num camarote confortável de um navio. O trem corria a todo vapor através do estado da Califórnia.

Na região entre São Francisco e Sacramento, o solo é pouco acidentado. Este trecho da estrada de ferro, sob o nome de Central Pacific Road, parte de Sacramento e avança para leste ao encontro do trecho que parte de Omaha. De São Francisco à capital da Califórnia, a linha corria diretamente para nordeste, ladeando o American River, que deságua na baía de San Pablo. A distância de cento e vinte milhas entre estas duas importantes cidades foram percorridas em seis horas. Por volta de meia-noite, enquanto dormiam o primeiro sono, os viajantes passaram por Sacramento. Portanto, ninguém viu nada desta cidade importante, sede da legislatura do Estado de Califórnia, nem os seus belos cais, nem suas ruas largas, nem seus hotéis esplêndidos, nem as praças, nem os templos.

O trem, depois de sair de Sacramento e passar pelas estações de Junction, Roclin, Auburn, e Colfax, embrenhou-se no maciço da Sierra Nevada. Eram sete horas da manhã quando atravessou a estação de Cisco. Uma hora depois, o dormitório voltava a ser um vagão comum e os viajantes podiam através das vidraças entrever os pontos pitorescos deste território montanhoso.

Os trilhos seguiam os caprichos da Sierra, aqui suspenso nos flancos da montanha, acolá suspenso sobre precipícios, evitando os ângulos bruscos por curvas audaciosas, lançando-se por gargantas estreitas que pareciam não ter saída. A locomotiva, brilhando como um santuário, com uma grande fornalha que lançava fagulhas amareladas, um sino prateado cujo som se misturava a mugidos de vacas e barulho das torrentes e das cascatas, torneava sua fumaça na ramagem escura dos pinheiros.

No percurso, poucos ou nenhum túnel ou pontes. A ferrovia contornava o flanco das montanhas, não procurando na linha reta o caminho mais curto de um ponto a outro, sem agredir a natureza.

Por volta das nove horas, pelo vale de Carson, o trem penetrou no estado do Nevada, seguindo sempre a direção nordeste. Ao meio-dia, deixava Reno, onde os passageiros tiveram vinte minutos para almoço.

A partir deste ponto, a via férrea, costeando Humboldt River, elevou-se, por algumas milhas, para o norte, seguindo o seu curso. Depois infletiu para o leste, e não deveria mais deixar o curso d'água antes de ter atingido os Humboldt Ranges, onde tem sua nascente, quase na extremidade oriental do Estado de Nevada.

Sr. Fogg, Sra. Aouda e os seus companheiros retomaram seus lugares no vagão depois do almoço. Phileas Fogg, a jovem, Fix e Passepartout, confortavelmente sentados, admiravam a paisagem variada que passava diante dos seus olhos. Eram vastas pradarias, montanhas se perfilando no horizonte e corredeiras com águas espumosas. Às vezes avistavam uma grande manada de bisões amontoados, que pareciam uma montanha. Muitas vezes esses animais em grupo se tornam um obstáculo intransponível à passagem dos trens. Milhares desses animais podem desfilar por horas, em filas compactas, atravessando a via férrea. Em situações assim, só resta à locomotiva parar e esperar que a pista fique livre novamente.

Foi exatamente o que aconteceu. Por volta de três horas da tarde, uma manada de dez a doze mil cabeças barrou a ferrovia. A máquina, depois de ter moderado sua velocidade, tentou se impor à imensa coluna bovina, mas teve de parar diante da impenetrável massa.

Os búfalos, como inadequadamente os chamam os americanos, seguem com seu passo tranquilo, soltando por vezes assombrosos mugidos. Tinham um porte superior ao dos touros da Europa, pernas e rabo curtos, garrote saltado que formava uma corcova muscular, cornos separados na base, cabeça, pescoço e lombo cobertos por crinas de pelo comprido. Era inimaginável deter uma migração destas. Quando adotam uma direção, nada é capaz de desviar ou mudar sua marcha. É uma torrente de carne viva que nenhum dique saberia represar.

Os viajantes, dispersos pelos corredores, contemplavam este curioso espetáculo. Mas quem deveria estar mais aflito, Phileas Fogg, continuava meditando em seu lugar, aguardando que os búfalos dessem passagem ao trem. Passepartout estava furioso com a demora causada por esta aglomeração de animais. Teria preferido descarregar contra eles o seu arsenal de armas, mas limitou a comentar:

– Que país! Simples bois que param os trens! E eles seguem como se fosse em uma procissão, sem se preocupar com o fato de travarem a circulação. Minha Nossa! Desejaria muito saber se Sr. Fogg previu este contratempo no seu programa! E o maquinista que não se atreve a lançar sua máquina através desta manada!

O maquinista não tentou ultrapassar o obstáculo. Agiu com prudência. Teria esmagado os primeiros búfalos com a parte frontal da locomotiva. Por mais potente que fosse, a máquina teria parado logo e um descarrilamento era inevitável. O trem ficaria em pedaços.

O melhor era mesmo esperar pacientemente, tentar em seguida recuperar o tempo perdido por uma aceleração da marcha do trem. O desfile dos bisões durou três longas horas, e a via só ficou livre quando a noite já caía. Neste momento, as últimas filas da manada atravessavam os trilhos, enquanto as primeiras desapareciam no horizonte ao sul.

Eram oito horas, quando o trem atravessou os desfiladeiros dos Humboldt Ranges, e nove e meia, quando penetrou no território de Utah, a região do grande lago Salgado, o curioso território dos mórmons.

Capítulo 27

Passepartout faz um curso de história mórmon

Durante a noite de 5 para 6 de dezembro, o trem correu a sudeste pelo espaço de quase cinquenta milhas; depois elevou-se outro tanto para nordeste, aproximando-se do grande lago Salgado.

Por volta das nove horas da manhã, Passepartout foi tomar ar no corredor externo do trem. O tempo estava frio, o céu cinza, mas não nevava. O Sol, ampliado pelas brumas, parecia uma enorme moeda de ouro, e Passepartout entretinha-se calculando seu valor em libras esterlinas, quando foi desviado deste útil trabalho pela aparição de um personagem bastante estranho.

Este personagem, que tinha tomado o trem na estação de Elko, era um homem de estatura elevada, muito moreno, bigodes pretos, meias pretas, chapéu de seda preta, colete preto, calça preta, gravata branca, luvas de pele de cachorro. Parecia um religioso. Andava de uma extremidade do trem à outra, e na porta de cada vagão colava um aviso escrito a mão.

Passepartout aproximou-se e leu em um destes avisos que o *elder* William Hitch, missionário mórmon, aproveitando a sua presença no trem n° 48, faria, das onze ao meio-dia, no carro n°117, uma conferência a respeito de sua religião. Convidava os presentes a conhecer os mistérios dos "santos dos últimos dias".

– Certamente, irei! –, pensou Passepartout, que conhecia pouco sobre mórmons.

A notícia se espalhou rapidamente no trem, que levava uma centena de passageiros. Umas trinta pessoas, atraídas pela conferência, ocuparam os bancos do vagão 117. Passepartout figurou no primeiro lugar dos fiéis. Nem seu mestre nem Fix achavam necessário perder tempo.

Na hora indicada, o Sr. William Hitch levantou-se e, com uma voz bastante irritada, como se tivesse sido contrariado de antemão e exclamou:

– Eu lhe digo que Joe Smyth é um mártir, que seu irmão Hvram é um mártir e que as perseguições do governo não contra os profetas também farão um mártir de Brigham Young! Quem ousaria dizer o contrário?

Ninguém se arriscou a contrariar o missionário, cuja exaltação contrastava com seu semblante naturalmente tranquilo. Mas, sem dúvida, sua raiva foi explicada pelo fato de os mórmons enfrentarem um julgamento severo. O governo dos Estados Unidos vinha pressionando esses fanáticos independentes. Os seguidores redobraram seus esforços e, enquanto aguardavam os feitos, resistiam, por palavras, as pretensões do congresso.

William Hitch continuava sua pregação na ferrovia. Contou a história dos mórmons nos tempos bíblicos:

– Em Israel, um profeta mórmon da tribo de Joseph publicou os anais da nova religião, e legou-os a seu filho Morom. Séculos depois, a tradução deste livro precioso, escrito em caracteres egípcios, foi feita por Joseph Smyth Junior, fazendeiro do estado de Vermont, que se mostrou um profeta místico em 1825. Finalmente, um mensageiro celestial apareceu a ele em uma floresta luminosa e lhe entregou os anais do Senhor.

Alguns ouvintes, desinteressados na narrativa retrospectiva do missionário, deixaram o vagão. Mesmo assim, William Hitch, continuou:

– Smyth Junior, reunindo seu pai, seus dois irmãos e alguns discípulos, fundou a religião dos Santos dos Últimos Dias, uma religião que, adotada não só na América, mas na Inglaterra, na Escandinávia, Alemanha, conta com seus seguidores artesãos e também muitas pessoas que exercem profissões liberais; como uma colônia foi fundada em Ohio. Um templo foi erguido ao preço de duzentos mil dólares, e uma cidade construída em Kirkland. Smyth tornou-se um audaz banqueiro, e recebeu de um mero portador um papiro contendo uma narrativa escrita pela mão de Abraão e outros egípcios celebrados.

Essa palestra ficou um pouco e a plateia se esvaziou cada vez mais, até que restaram não mais que vinte pessoas. Mas o ancião, sem se preocupar com essa deserção, narrou em detalhes:

– Joe Smyth faliu em 1837, quando seus acionistas arruinados mancharam seu nome. Mas ele foi encontrado, mais honrado do que nunca, alguns anos depois, na independência, no Missouri e chefe de uma comunidade florescente, que contou não menos de três mil discípulos. Depois, perseguido por o ódio dos gentios, ele teve que fugir para o oeste selvagem americano

– Sobraram ainda dez ouvintes, entre eles o Passepartout, que escutou com todos os seus ouvidos. Foi assim que ele soube que, depois de longas perseguições, Smyth reapareceu em Illinois, e em 1839, nas margens do Mississipi, fundou Nauvoo-la-Belle, cuja população era de vinte e cinco mil almas, Smyth se tornou seu prefeito, o juiz supremo e o comandante. Em 1843, ele se candidatou à presidência dos Estados Unidos. Mas, finalmente, atraído para uma armadilha em Carthage, ele foi preso e assassinado por um bando de homens mascarados.

Neste momento, Passepartout estava absolutamente sozinho na carruagem, e o ancião, olhando-o no rosto, o fascinou com suas palavras:

– Dois anos após o assassinato de seu sucessor, o profeta Brigham Young, abandonando Nauvoo, instalou-se nas margens de Salt Lake, e ali, neste território admirável, no meio deste país fértil, no caminho dos emigrantes que atravessaram Utah para ir para a Califórnia, a nova colônia, graças aos princípios polígamos do mormonismo, espalhou-se por uma enorme extensão.

– E foi por esse motivo que agora – acrescentou William Hitch – o ciúme do congresso se voltou contra nós! Os soldados da União pisaram o chão de Utah! Por que nosso líder, o profeta Brigham Young, foi preso desafiando toda justiça! Vamos ceder à força? Nunca! Dirigido a partir de Vermont, expulso de Illinois, expulso de Ohio, expulso de Missouri, expulso de Utah, voltaremos a encontrar um território independente onde lançaremos nossa barraca. E você. você plantará o seu abrigo na sombra da nossa bandeira?

– Não! – respondeu bravamente Passepartout, que fugiu, deixando o enérgico pregador no deserto.

Enquanto isso, o trem seguia rapidamente e por volta de meio-dia tocou o grande Salt Lake em seu ponto noroeste. De lá, foi possível abraçar, num vasto perímetro, o aspecto deste mar interior, que também traz o nome do Mar Morto, de onde flui um Jordão da América.

Salt Lake, cerca de setenta milhas de comprimento, trinta e cinco milhas de largura, situa-se a 3.800 metros acima do nível do mar. É bastante diferente do lago Asphaltite, cuja depressão é doze mil metros acima do nível do mar, com salinidade considerável, águas que mantêm em solução um quarto de seu peso de matéria sólida.

Ao redor do lago, o campo foi admiravelmente cultivado, pois os mórmons cuidaram do trabalho da terra: ranchos e currais para animais domésticos, campos de milho, sorgo, prados exuberantes, trigo, rosas selvagens e acácias. Tal teria sido a aparência da localidade há seis meses. Mas neste momento, o solo desapareceu sob uma fina camada de neve que o pulverizou levemente.

Às duas horas, os viajantes chegaram à estação de Ogden. O trem não tem que sair até as seis horas, por isso Sr. Fogg, Aouda e seus dois companheiros tiveram tempo para ir à Cidade dos Santos pelo pequeno ramal que sai da estação de Ogden. Duas horas foram suficientes para visitar esta cidade absolutamente americana, com vastas tábuas com longas linhas frias. O fundador da Cidade dos Santos não conseguiu escapar da necessidade de simetria que distinguia os anglo-saxões. Neste singular país, onde os homens certamente não estão ao nível das instituições, tudo é direto e sem sentido: cidades e casas.

Às três horas, os viajantes estavam caminhando pelas ruas da cidade, construídos entre as margens do Jordão e as primeiras ondulações das Montanhas Wahsatch.

O Sr. Fogg e seus companheiros não encontraram a cidade muito populosa. As ruas estavam quase desertas, exceto pela parte do templo, que eles alcançaram apenas depois de atravessar vários bairros rodeados de paliçada. As mulheres eram bastante numerosas, o que é explicado pela composição singular das famílias. No entanto, não devemos acreditar que todos os mórmons são polígamos.

Passepartout, que não fora convertido por um mórmon, observava essa situação com ar crítico. No seu bom senso, era do marido que ele tinha a maior pena. Parecia terrível ter que guiar tantas senhoras ao mesmo tempo através das vicissitudes da vida, para levá-las ao paraíso mórmon, com essa perspectiva de encontrá-las por toda a eternidade em companhia do glorioso Smyth, que devia fazer o ornamento deste lugar de prazer.

Felizmente, sua permanência na cidade dos santos não era para continuar. Logo os passageiros se encontraram na estação e retomaram seus lugares. O apito soou. Mas no momento em que as rodas motrizes da locomotiva, patinando nos trilhos, começaram a imprimir no trem com alguma velocidade, soaram gritos:

– Pare! Pare!

Não se para um trem em movimento. O cavalheiro que pronunciou esses gritos era evidentemente um mórmon retardatário. Ele correu a ponto de perder a respiração. Por sorte para ele, a estação não tinha cercas. Ele correu, pulou no pé da última carruagem e ficou sem fôlego em um dos bancos.

Passepartout, que seguiu com emoção os incidentes desta ginástica, veio contemplar esse retardatário, com profundo interesse pois soube que estava fugindo de uma briga doméstica. Quando o mórmon recuperou a respiração, Passepartout arriscou-se a perguntar-lhe quantas mulheres ele possuía. Pela forma como corria, poderia deduzir que fossem pelo menos vinte.

– Uma, senhor! Uma, e já é mais do que suficiente! – respondeu o mórmon, levantando os braços para o céu.

Capítulo 28

Passepartout não consegue fazer ouvir a voz da razão

Saindo de Great Salt Lake e da estação de Ogden, o trem subiu durante uma hora para o norte, até Weber River, tendo percorrido quase novecentas milhas desde que partira de São Francisco. A partir deste ponto, retomou a direção do leste, através do maciço acidentado dos montes Wahsatch. É nesta parte do território, compreendida entre as montanhas Rochosas propriamente ditas, que os engenheiros americanos lutaram com as maiores dificuldades. Sem violentaram a natureza, usaram de astúcia. Contornaram as dificuldades e, para atingir a grande bacia, perfuraram apenas um túnel, com quatorze mil pés de extensão.

Era no lago Salgado mesmo que a estrada de ferro tinha atingido até então sua maior altitude. Desde este ponto, seu perfil descrevia uma curva muito alongada, abaixando-se para o vale do Bitter Creek, para subir até ao ponto onde se dividem as águas do Atlântico e do Pacífico. Os rios eram numerosos nesta região montanhosa. Foi necessário franquear sobre pequenas pontes o Muddy, o Green e outros. Passepartout ia ficando mais impaciente à medida em que se aproximava o fim da viagem. Fix, por sua vez, preferia que já tivessem saído desta difícil região. Receava as demoras, acreditava em acidentes, e tinha mais pressa do que o próprio Phileas Fogg para pôr os pés em terra inglesa.

Às dez da noite, o trem parou na estação de Fort Bridger, que deixou quase imediatamente, e, vinte mil milhas mais adiante, entrou no estado de Wyoming.

No dia seguinte, 7 de dezembro, houve uma parada de uma hora e meia na estação do Green River. A neve havia caído durante a noite em abundância, mas, misturada com chuva, metade derretida, e não podia impedir o tráfego do trem. Este mau tempo, no entanto, não despertou Passepartout, pois o acúmulo de neve, ao barrar as rodas dos vagões, certamente teria comprometido a jornada. Pensava:

– Que ideia meu patrão teve de viajar no inverno! Não poderia ter esperado a verão para aumentar suas possibilidades de êxito?

Mas, neste momento em que o bom rapaz só se preocupava com o estado do céu e com a queda da temperatura, Sra. Aouda tinha receios mais sérios.

Alguns viajantes tinham descido do vagão, e passeavam pela plataforma da estação de Green River, esperando a partida do trem. Pelo vidro, a jovem reconheceu entre eles o coronel Stamp W. Proctor, o americano que tinha se comportado tão grosseiramente com Phileas Fogg em São Francisco. Para não ser vista, Sra. Aouda recuou. Seu coração saltou, quando reconheceu o grosseiro personagem a quem Sr. Fogg queria cedo ou tarde pedir uma explicação por sua conduta. Evidentemente, era apenas o acaso que tinha trazido a este trem o coronel Proctor, mas, fosse como fosse, ele estava ali, e era preciso impedir a todo o custo que Phileas Fogg avistasse seu adversário.

Quando o trem se pôs novamente em movimento, ela aproveitou um momento em que Sr. Fogg cochilava, para colocar Fix e Passepartout a par da situação.

– O tal do Proctor está no trem! – exclamou Fix. Pois bem, tenha certeza, madame, antes de se bater com o senhor... com Sr. Fogg, terá de se bater comigo! Parece-me que, em tudo isto, fui eu quem recebeu os mais graves insultos! Eu me encarrego dele, por mais coronel que seja.

– Sr. Fix – retrucou Sra. Aouda – Sr. Fogg não deixará que ninguém se vingue por ele. É homem, como disse, de voltar à América para procurar seu ofensor. Se, portanto, vê o coronel, não vamos poder impedir um duelo, que pode ter deploráveis resultados. Portanto que ele não pode vê-lo.

– Tem razão, madame, respondeu Fix, um duelo poderia pôr tudo a perder. Vencedor ou vencido, Sr. Fogg demorar-se-ia, e...

– E, acrescentou Passepartout, isso faria o jogo dos cavalheiros do Reform Club. Em quatro dias estaremos em Nova York! Pois bem, se durante quatro dias meu patrão não sair do seu vagão, podemos esperar que o acaso não o ponha cara a cara com este maldito americano! Ora, saberemos impedir...

A conversa foi suspensa. Sr. Fogg tinha acordado, e contemplava a campina pelo vidro rajado de neve. Mais tarde, e sem ser ouvido por seu patrão nem por Sra. Aouda, Passepartout disse ao inspetor de polícia:

– O senhor, realmente lutaria por ele?

– Farei tudo para levá-lo vivo para a Europa! – respondeu simplesmente Fix, em um tom que denotava uma vontade implacável.

Passepartout sentiu um arrepio correr por todo o corpo, mas suas convicções a respeito do patrão não fraquejaram.

E agora, haveria algum meio de reter Sr. Fogg no seu compartimento para prevenir qualquer encontro entre o coronel e ele? Não deveria ser difícil, pois o cavalheiro é naturalmente pouco dado a movimentos e pouco curioso. Em todo caso, o agente de polícia julgou ter descoberto esse meio, porque momentos depois dizia a Phileas Fogg:

– São longas e lentas horas, senhor, estas que se passa assim na estrada de ferro.

– Com efeito, respondeu o cavalheiro, mas elas passam.

– Nos navios, retomou o inspetor, não tinha o hábito de jogar whist?

– Sim, respondeu Phileas Fogg, mas aqui seria difícil. Não tenho nem cartas nem parceiros.

– Oh! As cartas, podemos comprá-las. Vende-se de tudo nos vagões americanos. Quanto aos parceiros, se, por acaso, madame...

– Certamente, senhor, completou animadamente a jovem, sei jogar whist. Faz parte da educação inglesa.

– E eu, retomou Fix, tenho algumas pretensões de jogar bem esse jogo. Ora, nós três...

– Com quiser, senhor, respondeu Phileas Fogg, encantado em retomar seu jogo favorito mesmo numa estrada de ferro.

Passepartout voltou pouco depois com dois baralhos completos, fichas e um tabuleiro recoberto de pano. Não faltava nada. O jogo começou. Sra. Aouda sabia suficientemente e o whist, e até recebeu alguns cumprimentos do severo Phileas Fogg. Quanto ao inspetor, era simplesmente excelente jogador e digno de sentar-se à frente do cavalheiro.

– Agora, disse consigo Passepartout, nós o temos seguro. Não se mexe mais! Às onze da manhã, o trem tinha atingido o ponto onde se dividem as águas dos dois oceanos. Era em Bridger Pass, a uma altura de sete mil quinhentos e oitenta e quatro pés ingleses acima do nível do mar, um dos pontos mais altos do traçado da estrada em sua passagem pelas montanhas Rochosas. Quase duzentas milhas mais adiante, os viajantes estavam finalmente sobre as extensas pradarias que se estendem até o

Atlântico, e que a natureza tornara tão propícias para o estabelecimento de uma via férrea.

Ao meio-dia e meia, os viajantes entreviram por instantes o forte Halleck, que com anda esta região. Ainda algumas horas e a travessia das Montanhas Rochosas estaria completa. Nenhum acidente sinalizaria a passagem do trem por esta difícil região. A neve cessara de cair. O tempo tornara-se frio e seco. Grandes pássaros, assustados pela locomotiva, fugiam ao longe. Nenhuma fera, urso ou lobo, se mostrava na planície. Era o deserto em sua imensa nudez.

Depois de um almoço bastante confortável, servido no próprio vagão, Sr. Fogg e os seus parceiros recomeçavam o interminável whist, quando violentos apitos e fizeram ouvir. O trem parou.

Passepartout colocou a cabeça para fora e não viu nada que motivasse a parada. Não havia nenhuma estação à vista.

Sra. Aouda e Fix por um instante recearam que Sr. Fogg pensasse em descer para a via. Mas o cavalheiro contentou- se em dizer ao criado:

– Veja o que é.

Passepartout saltou para fora do vagão. Uns quarenta passageiros tinham já abandonado os seus lugares, entre eles o coronel Stamp W. Proctor.

O trem tinha parado por causa de um sinal vermelho que impedia a passagem. O maquinista e o condutor, tendo descido, discutiam acaloradamente com um guarda ferroviário, que o chefe de estação de Medicine Bow, a próxima estação, tinha enviado ao encontro do trem. Viajantes tinham se aproximado e participavam da discussão. Entre eles achava-se o mencionado coronel Proctor, com a sua voz alta e seus gestos imperiosos.

Passepartout, tendo se unido ao grupo, ouviu o guarda-ferroviário dizer:

– Não! Não há meio de passar! A ponte de Medicine Bow não suportaria o peso do trem.

A ponte, de que falavam, era uma ponte pênsil lançada sobre um desfiladeiro, a uma milha de distância do lugar onde o trem tinha parado. No dizer do guarda, ameaçava ruir, muitos dos fios estavam rompidos, e era impossível arriscar sua travessia. O guarda não exagerava de modo algum afirmando que não se poderia passar. E além disso, com os hábitos negligentes dos americanos, pode-se dizer que, quando eles se põem a ser prudentes, é loucura não o ser.

Passepartout, não se atrevendo a ir avisar o seu patrão. Escutava, com os dentes cerrados, imóvel como uma estátua.

– Ora! – bradava o coronel Proctor, não vamos, imagino, ficar aqui e estender raízes na neve!

– Coronel, respondeu o condutor, telegrafamos para a estação de Omaha pedindo um trem, mas não é provável que chegue a Medicine Bow antes de seis horas.

– Seis horas! exclamou Passepartout.

– A pé! exclamaram todos os viajantes.

– Com nosso trem.

– Passepartout tinha parado, e devorava as palavras do maquinista.

– Mas a que distância está esta estação? – alguém perguntou.

– Doze milhas do outro lado do rio.

– Doze milhas na neve! – gritou Stamp W. Proctor.

O coronel lançou uma varredura de maldições, atacando a empresa e o maquinista. Passepartout, furioso, não estava longe de ficar igualmente furioso. O desapontamento foi geral entre os viajantes, que, para não mencionar o atraso, foram obrigados a viajar cerca de quinze milhas em toda a planície coberta de neve. Foi um burburinho, exclamações e vociferações, o que certamente teria atraído a atenção de Phileas Fogg, se esse cavalheiro não estivesse absorto.

Passepartout, no entanto, viu necessidade de adverti-lo, e, de cabeça para baixo, estava indo em direção ao vagão, quando o maquinista do trem, um verdadeiro ianque, chamado Forster, levantando a voz, disse:

– Cavalheiros, pode haver uma maneira de passar.

– No convés? – disse um viajante.

– Na ponte.

– Com o nosso trem? – perguntou o coronel.

– Com o nosso comboio.

Passepartout parou e devorou as palavras do maquinista.

– Mas a ponte ameaça arruinar! – retomou o coronel.

– Não importa – respondeu Forster. Eu acho que ao jogar o trem com sua velocidade máxima, teríamos chances de passar.

– O diabo! – disse Passepartout.

Mas muitos passageiros foram imediatamente seduzidos pela proposta. Particularmente o coronel Proctor achou muito viável. Ele até lembrou que os engenheiros tiveram a ideia de passar rios sem ponte com trens rígidos lançados a toda velocidade, etc. E, no final, todas as partes interessadas no assunto concordaram com o maquinista.

– Temos cinquenta por cento de chances de passar – disse um.

– Sessenta, disse o outro.

– Oitenta! Noventa de cem!

Passepartout ficou desconcertado, embora estivesse pronto para fazer qualquer coisa para fazer a passagem do Medicine-Creek, mas a tentativa parecia um pouco também "americana".

– Além disso, pensou, há uma coisa muito mais simples de fazer, e essas pessoas nem pensam nisso.

– Senhor, disse ele a um dos viajantes, os meios propostos pelo maquinista me parecem um pouco arriscados, mas...

– Oitenta chances! – respondeu o viajante, que virou as costas para ele.

– Eu sei, respondeu Passepartout, dirigindo-se a outro cavalheiro, mas uma reflexão...

– Sem reflexão, é inútil! – respondeu o americano, interrogado, encolhendo os ombros, o mecânico nos assegura que devemos passar!

– Sem dúvida, respondeu Passepartout, devemos passar, mas talvez seja mais prudente...

– O quê? – gritou o coronel Proctor, quando a palavra, ouvida por acaso, surgiu. Em alta velocidade, você entende? Em alta velocidade!

– Eu sei – eu entendo, repetiu Passepartout, a quem ninguém deixou para completar sua sentença, mas ele seria, se não mais prudente, já que a palavra choca você, pelo menos, mais natural.

– Quem? Isso? Qual é, então, com a sua naturalidade? – disseram de todos os lados.

O pobre homem já não sabia quem ouvir.

– Você tem medo? – perguntou o coronel Proctor.

– Medo! – exclamou Passepartout. Vou mostrar a essas pessoas que um francês pode ser tão americano quanto eles são!

– De carro! De carro! – gritou o maquinista.

– Sim! Em uma carruagem, repetiu Passepartout, em uma carruagem! Mas não me impede pensar que seria mais natural primeiro passar a pé nesta ponte, nós viajantes, depois, o trem!

Mas ninguém ouviu esse sábio reflexo, e ninguém teria desejado reconhecer a sua exatidão.

Os viajantes foram reintegrados em seus vagões. Passepartout retomou seu lugar sem dizer nada sobre o que aconteceu. Os jogadores estavam todos em seu lugar.

A locomotiva sibilou vigorosamente. O maquinista, que inverteu o vapor, trouxe seu trem de volta por quase uma milha - recuando como um balanço que quer pegar impulso. Então, em um segundo apito, o avanço da marcha recomeçou. Acelerou e logo a velocidade tornou-se espantosa. Os pistões batiam vinte golpes por segundo; os eixos das rodas fumavam nas caixas de graxa. Todo o trem, caminhando com uma rapidez de cem milhas por hora, já não pesava nos trilhos. Velocidade estava comendo a gravidade.

E passaram! E foi como um raio. Nada foi visto da ponte. O comboio saltou de um banco para o outro, e o maquinista só conseguiu parar sua máquina, levando cinco milhas além da estação.

Mas, assim que o trem atravessou o rio, a ponte, que definitivamente estava arruinada, despencou.

Capítulo 29

Incidentes em estradas de ferro americanas

Naquela mesma noite, o trem prosseguindo sua rota sem obstáculos, ultrapassou o Fort Saunders, transpôs o desfiladeiro do Cheyenne e chegou ao de Evans. Neste lugar, a ferrovia atingiu o ponto mais alto do dia, ou seja oito mil noventa e um pés acima do nível do mar. Os viajantes só tinham agora que descer até o Atlântico sobre essas planícies sem limites, niveladas pela natureza.

Chegaram ao entroncamento de Denver City, a principal cidade do Colorado. Este território é rico em minas de ouro e prata, e mais de cinquenta mil habitantes aí já fixaram moradia.

Neste momento, mil trezentas oitenta e duas milhas tinham sido feitas desde São Francisco, em três dias e três noites. Quatro dias e quatro noites, de acordo com todas as previsões, deveriam bastar para o trem alcançar Nova York. Phileas Fogg se mantinha dentro dos intervalos regulamentares.

Durante a noite, deixaram à esquerda Camp Walbach. O Lodge Pole Creek corria paralelamente à via, seguindo a fronteira retilínea comum aos Estados de Wyoming e do Colorado. Às onze horas entraram no Nebraska, passaram perto de Sedgwick, e chegaram a Julesburg, situado na margem sul do Platte River. Foi neste ponto que se fez a inauguração da Union Pacific Road, em 23 de outubro de 1887, da qual o engenheiro responsável foi o general J. M. Dodge.

Às oito horas da manhã, o forte McPherson tinha sido deixado para trás. 357 milhas separam este ponto de Omaha. A via férrea seguia, sobre sua margem esquerda, as caprichosas sinuosidades do braço sul do Platte River. Às nove horas, chegaram à importante cidade de North Platte, edificada entre os dois braços do grande curso de água, que se reúnem em torno dela para formar uma só artéria – afluente importante cujas águas se confundem com as do Missouri, um pouco acima de Omaha. O centésimo primeiro meridiano foi atravessado.

Sr. Fogg e seus parceiros tinham recomeçado o jogo. Nenhum deles se queixava da demora da viagem. Fix tinha começado ganhando alguns guinéus, que estava em vias de perder, mas nem por isso se mostrava menos entusiasmado que Sr. Fogg. Durante esta manhã, a sorte favoreceu bastante este cavalheiro. Os trunfos e as cartas de maior valor choviam em suas mãos. Em certo momento, depois de ter com binado um lance audacioso, preparava-se para jogar espadas, quando atrás do banco ouviu uma voz que dizia:

– Se fosse eu...

Sr. Fogg, Sra. Aouda, Fix levantaram a cabeça. O coronel Proctor estava perto deles. Stamp W. Proctor e Phileas Fogg se reconheceram ao mesmo tempo.

– Ah! É você, monsieur l'anglais – gritou o coronel –, é você quem deseja jogar!

– E quem joga", respondeu Phileas Fogg friamente, agitando uma carta.

– Você não ouve nada sobre este jogo.

– Talvez eu seja melhor em outro, disse Phileas Fogg, que se levantou.

– Só depende de você! – respondeu o homem grosseiro.

Senhora Aouda ficou pálida. Todo o sangue dele voltou ao coração. Ela agarrou o braço de Phileas Fogg e gentilmente a afastou. Passepartout estava pronto para lançar-se sobre o americano, que considerava seu adversário com o ar mais insultante. Mas Fix levantou-se e foi ao Coronel Proctor, e lhe disse:

– É a mim que você tem que lidar, senhor. Foi a mim que insultou e atingiu.

– Sr. Fix, disse o Sr. Fogg, peço desculpas, mas isso eu resolvo sozinho. O coronel me fez um novo insulto.

– Sempre que você quiser, e onde quiser, respondeu o americano, e à arma que você quiser.

Senhora Aouda tentou em vão refrear o Sr. Fogg. O inspetor tentou em vão retomar a discussão para si. Passepartout queria jogar o coronel junto à porta, mas um sinal de seu patrão o deteve. Phileas Fogg deixou o vagão, e o americano o seguiu.

– Senhor", disse o Sr. Fogg a seu adversário. Estou com muita pressa para voltar para a Europa, e qualquer atraso prejudicaria muito os meus interesses.

– Bem! O que isso tem a ver comigo? – respondeu o coronel Proctor.

– Depois do nosso encontro em San Francisco, eu planejei chegar até você na América, assim que eu terminar os assuntos que me chamam no continente antigo.

– Realmente!

– Você gostaria de me conhecer em seis meses?

– Por que não em seis anos?

– Eu digo seis meses, respondeu o Sr. Fogg, e eu terei razão no encontro.

– Derroto tudo isso – gritou Stamp W. Proctor. De imediato ou não.

– Ou, respondeu o Sr. Fogg. Você vai para Nova York?

– Não, não.

–Em Chicago?

– Não, não.

–Em Omaha?

– Pouco importa! Conhece Plum Creek?

– Não, respondeu o Sr. Fogg.

– Essa é a próxima estação. O trem estará lá em uma hora. Ele estará lá por dez minutos. Em dez minutos podemos trocar alguns tiros de revólver.

– Ou, respondeu o Sr. Fogg. Vou parar em Plum-Creek.

–E eu acho que você vai ficar lá! – acrescentou o americano, com insolência incomparável.

– Quem sabe, senhor? – Respondeu o Sr. Fogg, e voltou para a sua carruagem, tão frio como de costume.

O cavalheiro começou por tranquilizar a Sra. Aouda, dizendo-lhe que nunca se devia temer. Então ele implorou a Fix para servir como testemunha na reunião que deveria ter lugar. Fix não podia recusar, e Phileas Fogg calmamente retomou sua jogada interrompida.

Às onze horas, o apito da locomotiva anunciou a aproximação da estação de Plum-Creek. Fogg levantou-se e, seguido de Fix, foi até a ponte. Passepartout o acompanhou, carregando um par de revólveres. Senhora Aouda permanecia na carruagem, pálida como uma mulher morta.

Naquele momento, a porta da outra carruagem se abriu, e o Coronel Proctor também apareceu na ponte, seguido por seu testemunho, um ianque de seu calibre.

Mas no momento em que os dois adversários estavam indo para a pista, o maquinista correu e gritou para eles:

– Nós não estamos indo para baixo, senhores.

– Por quê? – perguntou o coronel.

– Estamos com vinte minutos de atraso, e o trem não para.

– Mas devo lutar com o senhor.

– Mas nós vamos embora imediatamente. Aqui está o sino de toque! – respondeu o funcionário.

O sino tocava, e o trem voltou a sair. E o Sr. Fogg desafiou:

– Já que você não teve tempo para lutar aqui, o que impede que você lute no caminho?

– Talvez não seja adequado a monsieur! – disse o coronel Proctor, com um ar de zombaria.

Os dois adversários, suas testemunhas, precedidas pelo condutor, passaram de um vagão para outro na parte de trás do trem. O último vagão foi ocupado por apenas uma dúzia de passageiros. O maquinista perguntou-lhes se, por alguns momentos, deixariam espaço para dois cavalheiros, que tinham um caso de honra para esvaziar.

Os viajantes estavam muito felizes em ser agradáveis aos dois cavalheiros, e eles se retiraram.

O vagão, com cerca de cinquenta metros de comprimento, se emprestou muito apropriadamente à ocasião. Os dois oponentes conseguiram caminhar um sobre o outro entre os bancos e gritar à vontade. Nunca foi um duelo mais fácil de regularizar. O Sr. Fogg e o Coronel Proctor, cada um com dois revólveres de seis disparos, entraram na carruagem. Suas testemunhas, que ficaram lá fora, os encerraram lá. No primeiro apito da locomotiva, eles tiveram que começar o fogo... Então, depois de um lapso de dois minutos, um removeria do vagão o que permaneceria dos dois cavalheiros.

Nada poderia ser mais simples. Era tão simples que Fix e Passepartout sentiram seu coração batendo forte.

O apito esperado foi aguardado, quando os gritos selvagens repentinos ressoaram. Não vieram do vagão reservado para os duelistas. Houve tiros que soavam para a frente e para toda a linha do trem. Gritos de terror foram ouvidos dentro do comboio.

O coronel Proctor e o Sr. Fogg, revólver na mão, imediatamente deixaram o vagão e correram para a frente, onde os disparos e os gritos foram ouvidos mais alto.

O trem foi atacado por um bando de sioux. Os sioux estavam armados com rifles. Daí as detonações a que os viajantes, quase todos armados, responderam com disparos de revólver. Em primeiro lugar, os índios haviam alcançado a máquina. O mecânico e o maquinista estavam meio impressionados. Um chefe sioux, que desejava parar o trem, mas não sabia como manipular o acelerador da locomotiva, abriu em grande parte a introdução de vapor em vez de fechá-lo, e a locomotiva estava correndo com uma velocidade espantosa.

Ao mesmo tempo que os sioux invadiram as carruagens, eles correram como macacos com fúria sobre os brancos. Fecharam as portas e lutaram corpo a corpo com os passageiros. Fora do vagão de bagagem, forçado e saqueado, os pacotes foram arremessados na pista. Gritos e tiros não interromperam.

Os passageiros, no entanto, se defenderam com coragem. Alguns vagões, barricados, apoiaram um cerco, como fortalezas reais, carregados com uma rapidez de cem milhas por hora.

Desde o início do ataque, Sra. Aouda se comportou corajosamente. Com o revólver em sua mão, ela se defendeu heroicamente, puxando as janelas quebradas, quando algum selvagem se apresentou a ela. Cerca de vinte sioux, atingidos até a morte, caíram na estrada, e as rodas dos vagões esmagaram aqueles que deslizaram pelas calhas do alto. Passageiros gravemente atingidos por balas ou porradas caíram nos bancos.

A luta já havia durado dez minutos, e só poderia acabar com a vantagem dos sioux se o trem não parasse. A estação em Fort Kearney não estava a duas milhas de distância. O condutor estava lutando ao lado do Sr. Fogg quando uma bala o jogou para baixo. Quando ele caiu, o homem gritou:

– Estamos perdidos, se o trem não parar por cinco minutos!

– Ele vai parar! – disse Phileas Fogg, que desejava sair do vagão.

– Fique, senhor, gritou Passepartout. Esse é o meu negócio!

Phileas Fogg não teve tempo para parar o rapaz corajoso, que, abrindo uma porta sem ser visto pelos índios, conseguiu escorregar debaixo do vagão. E então, à medida que a luta continuava, enquanto as balas cruzavam sua cabeça, recuperando sua agilidade, sua flexibilidade de palhaço, escorregou pelos vagões, agarrando-se às correntes, usando a alavanca dos freios e os lados do chassi. Rastejou de um carro para outro com habilidade incrível e alcançou a frente do trem. Ele não tinha sido visto, ele não podia ser visto.

Suspenso com uma mão entre os vagões destrancou as correntes de segurança. Mas nunca teria conseguido desenroscar a barra de tração, se um choque que a máquina experimentou não explodisse a barra, fazendo o trem recuar gradualmente, enquanto a locomotiva alcançava uma nova velocidade.

Conduzido pela força adquirida, o trem passou por mais alguns minutos, mas os freios foram manobrados dentro dos vagões, e o comboio finalmente parou, a uma centena de passos da estação de Kearney.

Os soldados do forte, atraídos pelos tiros, apressaram-se. Os sioux não os esperavam, e antes do trem parar, toda o bando havia diminuído.

Quando os viajantes se contaram no cais da estação, verificaram que faltavam vários, entre eles o valente francês cuja devoção os havia salvado.

Capítulo 30

Phileas Fogg simplesmente cumpre o seu dever

Três viajantes, inclusive Passepartout, haviam desaparecido. Teriam sido mortos na luta? Estariam prisioneiros dos selvagens? Ainda não se podia saber.

Os feridos eram numerosos, mas nenhum tinha sido atingido mortalmente. Um dos em estado mais grave era o coronel Proctor, que tinha combatido bravamente, e que uma bala na virilha derrubara. Foi transportado para a estação com os outros passageiros, cujo estado exigia cuidados imediatos.

Sra. Aouda estava salva. Phileas Fogg, que não se poupara, não tinha nem um arranhão. Fix estava ferido num braço, ferimento sem importância. Mas Passepartout faltava, e as lágrimas corriam dos olhos da jovem.

Já então todos os viajantes tinham saído do trem. As rodas dos vagões estavam manchadas de sangue. Via-se a perder de vista na pradaria branca longos rastros avermelhados. Os últimos índios desapareciam então ao sul, pelos lados do Republican River.

Sr. Fogg, braços cruzados, permanecia imóvel. Tinha uma grave decisão a tom ar. Sra. Aouda, próxima dele, o contemplava sem proferir uma palavra... Ele compreendeu este olhar. Se o seu servidor estava prisioneiro, não deveria fazer de tudo arriscar para arrancá-lo dos índios?

– Eu vou encontrá-lo morto ou vivo, ele disse simplesmente à Sra. Aouda. Não podemos perder um minuto!

Por esta resolução, Phileas Fogg se sacrificou inteiramente. Ele acabou de pronunciar sua ruína. Um único dia de atraso faria perder o navio em Nova York. Sua aposta foi irrevogavelmente perdida. Mas com o pensamento "É meu dever!", ele não hesitou.

O capitão ao comando de Fort Kearney estava lá. Seus soldados - cerca de uma centena de homens - se puseram na defensiva caso os sioux tivessem dirigido um ataque direto na estação.

– Senhor, disse o Sr. Fogg ao capitão, três passageiros desapareceram.

– Mortos? – perguntou ao capitão.

– Morto ou prisioneiro, respondeu Phileas Fogg. Existe uma incerteza que deve ser investigada.

– Isso é sério, senhor, disse o capitão. Esses índios podem fugir além do Arkansas! Não posso abandonar o forte que me foi confiado.

– Senhor, respondeu Phileas Fogg, diz respeito à vida de três homens.

– Sem dúvida, mas posso arriscar a vida de cinquenta para salvar três?

– Eu não sei se pode, senhor, mas deve.

– Senhor, respondeu o capitão, ninguém aqui pode me dizer qual é o meu dever.

– Bem, disse Phileas Fogg com frieza. Eu vou sozinho!

– Vai sozinho ao encontro dos índios? – perguntou Fix.

– Você deseja que eu deixe esse homem infeliz perecer, a quem todos aqui devem a vida? Eu irei.

– Não, você não vai sozinho! – exclamou o capitão. Você tem um coração corajoso!

– Trinta homens de boa vontade! – acrescentou, voltando-se para seus soldados.

Toda a tropa avançou em massa. O capitão só tinha que escolher entre esses homens corajosos. Trinta soldados foram selecionados e um velho sargento colocou-se na cabeça deles.

– Obrigado, capitão! – disse Fogg.

– Você me permitirá acompanhar você? – perguntou Fix.

– Fará o que quiser, respondeu Phileas Fogg. Mas se você me fizer um favor, você permanecerá perto da Sra. Aouda. No caso de eu...

Uma palidez repentina invade o rosto do inspetor da polícia. Separando-se do homem que seguiu passo a passo e com tanta persistência! Deixá-lo se aventurar assim neste deserto! Fix olhou atentamente para o cavalheiro e, apesar de seus preconceitos, apesar do combate que estava ocorrendo nele, ele lançou os olhos diante desse olhar tranquilo e franco.

– Eu vou ficar, disse ele.

Poucos momentos depois, o Sr. Fogg apertou a mão da jovem. Depois de lhe entregar sua preciosa bolsa de viagem, ele saiu com o sargento e sua pequena tropa.

Mas antes de partir, ele havia dito aos soldados:

– Meus amigos, há mil libras para vocês se salvarmos os prisioneiros!

Sra. Aouda tinha se acomodado em uma sala na estação, e ali, esperando que Phileas Fogg mantivesse essa generosidade simples e fantástica, essa coragem calma. O Sr. Fogg sacrificou sua fortuna, e agora ele estava tocando sua vida, tudo sem hesitação, pelo dever, sem palavras. Phileas Fogg era um herói.

O inspetor Fix não pensou assim, e ele não conseguiu conter sua agitação. Ele caminhou febrilmente na plataforma da estação. Um momento subjugado, ele voltou a se tornar ele mesmo. Fogg deixou, ele entendeu a estupidez que ele fez de deixá-lo ir. O homem que ele acabara de seguir em todo o mundo, ele havia consentido em se separar! Sua natureza ganhou vantagem, ele se incriminou, acusou a si mesmo, tratou se como se ele fosse o diretor da Polícia Metropolitana, admoestando um agente apanhado no ato de ingenuidade.

– Eu sou inepto! – pensou. Ele se foi, ele não vai voltar! Onde pegar isso agora? Mas como eu poderia deixar-me tão fascinado, eu, Fix, eu, que tinha no bolso sua ordem de prisão! Decididamente, eu sou apenas uma besta!

Assim, o inspetor da polícia raciocinou, enquanto as horas passavam tão devagar em sua vontade. Ele não sabia o que fazer. Às vezes ele queria dizer à Sra. Aouda. Mas entendeu como seria recebido pela jovem.

Estava tentado a atravessar as longas planícies brancas na busca deste Fogg! Não parecia impossível encontrá-lo. Os passos do destacamento ainda estavam impressos na neve! Mas logo, sob uma nova camada, toda impressão foi apagada.

Então o desânimo tomou Fix. Ele sentiu como um desejo insuperável de abandonar o jogo. Agora, precisamente, esta oportunidade de sair da estação de Kearney e continuar essa jornada, tão frutífera em decepções, foi oferecida a ele. Cerca de duas horas da tarde, enquanto a neve caía como neve pesada, ouviram-se longos assobios provenientes do leste. Uma sombra enorme, precedida por uma luz, avançou devagar, ampliada pelas névoas, o que lhe deu uma aparência fantástica.

Nenhum trem do leste era esperado. A ajuda solicitada pelo telégrafo não poderia chegar tão cedo, e o trem de Omaha para São Francisco não passaria até o dia seguinte.

A locomotiva, que estava cozinhando com um grande assobio era aquela que, tendo sido separada do trem, continuou seu curso com uma velocidade tão espantosa, levando consigo o motorista inanimado e o mecânico. Ela correu nos trilhos por várias milhas e o fogo caiu, por falta de combustível. O vapor se relaxou e, uma hora depois, lentamente abrandou o curso, a máquina finalmente parou a vinte milhas além da estação de Kearney.

Nem o mecânico nem o condutor haviam sucumbido, e depois de um longo desmaio eles voltaram para eles. A máquina foi então parada. Quando se viu no deserto, a locomotiva sozinha, não tendo carros no trem, o mecânico entendeu o que aconteceu. Como a locomotiva fora separada do trem, ele não conseguia adivinhar, mas não era duvidoso para ele que o trem, deixado para trás, estivesse em perigo.

O mecânico não hesitou sobre o que fazer. Continuar a estrada na direção de Omaha era prudente. Para retornar ao trem, que os índios podiam provavelmente saquear, era perigoso. Os pedaços de carvão e madeira foram engolidos no coração de sua caldeira, o fogo reviveu, a pressão aumentou novamente e, às duas horas da tarde, a máquina estava voltando para a estação de Kearney. Foi ela que assobiou na névoa.

Foi uma grande satisfação para os viajantes, quando viram a locomotiva se colocar na cabeça do trem. Eles poderiam continuar esta jornada tão infelizmente interrompido.

À chegada da máquina, Sra. Aouda tinha deixado a estação e dirigindo-se ao condutor:

– Você vai sair? – ela perguntou.

– Agora, senhora.

– Mas esses prisioneiros... nossos companheiros infelizes...

– Não consigo interromper o serviço, respondeu o condutor. Já temos três horas de atraso.

– E quando outro trem virá de San Francisco?

– Amanhã à noite, madame.

– Amanhã à noite! Será muito tarde. Devemos esperar...

– É impossível, respondeu o condutor. Se a senhora quiser sair...

– Não vou sair, respondeu a jovem.

Fix tinha ouvido essa conversa. Poucos momentos antes, quando ele não tinha meios de locomoção, ele estava decidido a deixar Kearney, e agora que o trem estava pronto para navegar, ele só tinha que retomar seu lugar no vagão, uma força irresistível o anexou ao chão. Este cais da estação queimava os pés, e ele não conseguiu se afastar. A batalha começou novamente nele. A raiva do fracasso o sufocava. Ele queria lutar até o fim.

Enquanto isso, os viajantes e alguns feridos, entre eles o Coronel Proctor, cuja condição era séria, tomaram seus lugares nos vagões. O zumbido da caldeira sobreaquecida podia ser ouvido e o vapor escapava através das válvulas. O mecânico sibilou, o trem começou, e logo desapareceu, misturando a fumaça branca com o redemoinho das neves.

O inspetor Fix tinha ficado.

Passaram algumas horas. O tempo estava muito ruim, o clima estava muito frio. Fix, sentado em um banco na estação, permaneceu imóvel. Pode ter pensado que ele estava dormindo. Senhora Aouda deixou a sala que havia sido colocada à disposição. Ela chegou ao fim do cais, tentando ver através da tempestade de neve, tentando penetrar a névoa que reduziu o horizonte em torno dela, ouvindo se havia algum ruído. Mas nada. Ela voltou, para retornar alguns minutos depois, e sempre inútil.

A noite terminou. Onde estava ele agora? Ele conseguiu se juntar aos índios? Havia uma luta, ou esses soldados, perdidos na névoa, vagavam ao acaso? O capitão de Fort Kearney estava muito desconfortável, embora ele não deixasse nada de sua ansiedade aparecer.

A noite chegou, a neve caiu menos abundantemente, mas a intensidade do frio aumentou. O olhar mais intrépido não consideraria essa imensidão obscura sem medo. Um absoluto silêncio reinava na planície. Nem o roubo de um pássaro nem a passagem de um animal selvagem perturbaram a infinita calma.

Toda essa noite, Sra. Aouda, sua mente cheia de pensamentos sinistros, seu coração cheio de angústia, vagou ao longo do prado. O que sofreu durante essas longas horas não pôde ser expresso.

Fix ainda estava imóvel no mesmo lugar, mas ele também não dormia. Em um momento, um homem se aproximou, até falou com ele, mas o agente o evitou, depois de responder com um sinal negativo.

A noite passou assim. Ao amanhecer, o Sol nasceu em um horizonte nebuloso. No entanto, o alcance do olho pode se estender a uma distância de duas milhas. Era para o sul que Phileas Fogg e o destacamento tinham ido... O sul estava absolutamente deserto. Eram sete horas da manhã.

O capitão, extremamente ansioso, não sabia o que fazer. Deveria enviar um segundo destacamento para o resgate do primeiro? Deveria sacrificar homens novos com poucas chances de salvar aqueles que foram sacrificados no início? Mas sua hesitação não durou, e com um gesto, chamando um de seus tenentes, ele ordenou que ele pressionasse um reconhecimento no sul, quando escutaram disparos. Isso era um sinal? Os soldados se jogaram fora do forte e, a meio quilômetro, perceberam uma pequena tropa que estava retornando em ordem.

O Sr. Fogg estava marchando na frente e perto dele, Passepartout e os outros dois viajantes, arrancados das mãos dos sioux.

Houve uma luta a dez milhas ao sul de Kearney. Poucos momentos antes da chegada do destacamento, Passepartout e seus dois companheiros já estavam lutando contra seus guardas, e o francês tinha derrubado três deles com os punhos quando seu patrão e os soldados se apressaram em sua ajuda.

Todos os salvadores e os salvos foram recebidos com gritos de alegria, e Phileas Fogg distribuiu aos soldados o bônus que lhes havia prometido, enquanto Passepartout repetia, não sem algum motivo:

– Definitivamente, devo admitir que sou querido pelo meu patrão!

Fix, sem pronunciar uma palavra, olhou para o Sr. Fogg, e teria sido difícil analisar as impressões que então lutaram nele. Quanto à Sra. Aouda, ela pegou a mão do cavalheiro, e ela a abraçou, sem poder pronunciar uma palavra!

Enquanto isso, Passepartout, desde sua chegada, estava procurando o trem na estação. Ele pensou que ele estava lá, pronto para girar em Omaha, e ele esperava que ainda pudesse recuperar o tempo perdido.

– E o próximo trem, quando ele vai passar? – perguntou Phileas Fogg.

– Somente esta noite.

– Ah! – respondeu o cavalheiro impassível.

Capítulo 31

Fix leva a sério os interesses de Phileas Fogg

Phileas Fogg estava 24 horas atrasado. Passepartout, a causa involuntária deste atraso, estava desesperado. Tinha decididamente arruinado seu patrão. Neste momento, o inspetor aproximou-se de Sr. Fogg,

– Está com pressa?

– Muita! – respondeu Phileas Fogg.

– Tem um grande interesse em estar em Nova York no dia 11, antes das nove horas da noite, a hora da partida do navio de Liverpool? – perguntou Fix.

– Um grande interesse.

– Se a jornada não tivesse sido interrompida por esse ataque de índios, teria chegado a Nova York no dia 11, pela manhã?

– Sim, doze horas à frente da programação.

– Bom. Então você está com vinte horas de atraso. Entre vinte e doze, a diferença é oito. São oito horas para voltar. Você quer tentar fazer isso?

– A pé? perguntou o Sr. Fogg.

– Não, em um trenó, respondeu Fix, em um trenó. Um homem me ofereceu este meio de transporte.

Phileas Fogg não respondeu. Mas Fix mostrou-lhe o homem em questão que estava caminhando em frente à estação. Pouco depois, Phileas Fogg e o americano, chamado Mudge, entraram numa cabana construída no fundo do forte Kearney.

O Sr. Fogg examinou um veículo bastante singular, uma espécie de quadro, construído em dois feixes longos, um pouco levantado na frente, como as solas de um trenó, e em que cinco ou seis pessoas podiam tomar seus lugares. Na frente, havia um mastro muito alto, mantido por lâminas de metal. Na parte traseira, uma espécie de leme servia para dirigir o veículo.

Tratava-se de um trenó adaptado. Durante o inverno, na planície gelada, quando os trens são interrompidos pelas neves, esses veículos fazem passagens extremamente rápidas de uma estação para outra. Ao pegar um vento de cauda, o trenó desliza na superfície dos prados com igual ou mesmo maior rapidez do que um expresso.

Houve um acordo entre o Sr. Fogg e o proprietário desta embarcação terrestre. O vento estava bom. Soprava do oeste uma brisa excelente. A neve estava endurecida, e Mudge estava indo bem para dirigir o Sr. Fogg em poucas horas para a estação de Omaha. Lá, os trens são frequentes e com muitas pistas que levam a Chicago e Nova York. Não era impossível que o atraso pudesse ser recuperado. Portanto, não havia necessidade de hesitar em tentar a aventura.

Sr. Fogg, não querendo expor a Sra. Aouda às torturas de uma travessia ao ar livre, pelo frio que a velocidade tornaria ainda mais insuportável, sugeriu que permanecesse sob a guarda de Passepartout na estação de Kearney. O rapaz levaria a jovem de volta à Europa por uma estrada melhor e em condições mais aceitáveis.

Senhora Aouda recusou-se a separar-se do Sr. Fogg, e Passepartout sentiu-se muito satisfeito com essa determinação. Na verdade, para nada no mundo, ele não teria abandonado seu patrão, e Fix teve que acompanhar.

Quanto ao que o inspetor da polícia pensou então, seria difícil dizer. Sua convicção foi abalada pelo retorno de Phileas Fogg, ou ele o impediu de ser um maluco extremamente forte que, em seu tour realizado pelo mundo, deve acreditar que ele estaria absolutamente seguro na Inglaterra? Talvez a opinião de Fix de Phileas Fogg tenha sido realmente alterada. Mas ele não estava menos determinado a cumprir seu dever e, mais impaciente do que todos para retornar à Inglaterra.

Às oito horas, o trenó estava pronto para sair. Os passageiros estavam sentados e estavam firmemente apertados em suas capas de viagem. As duas imensas velas foram içadas, e sob o impulso do vento o veículo rolou sobre a neve endurecida com uma rapidez de quarenta milhas por hora.

A distância que separa Fort Kearney de Omaha é uma linha direta de duzentos milhas no máximo. Essa distância poderia ser cruzada em cinco horas, se o vento for bom. Se nenhum incidente acontecesse, a uma hora da tarde, o trenó teria chegado a Omaha.

Os viajantes, pressionados uns contra os outros, não podiam falar. O frio, aumentado pela velocidade, os teria cortado. O trenó deslizou tão levemente na superfície da planície como um barco na superfície das águas. Quando a brisa chegou raspando o chão, parecia que o trenó tinha sido removido do chão pelas suas velas, vastas asas de imenso espaço. Mudge, ao leme, corrigiu os desvios que o aparelho tentava fazer. Todo o pano estava gasto. Não podia ser estimado, matematicamente, mas certamente a velocidade do trenó não era inferior a quarenta milhas por hora.

– Se nada derrubar, disse Mudge, vamos chegar!

E Mudge teve interesse em chegar dentro do tempo acordado, pois o Sr. Fogg, fiel ao seu sistema, lhe prometeu um alto prêmio.

O prado, que o trenó cortou em linha reta, era tão plano como um mar. Parecia um imenso lago congelado. A estrada ferroviária que serviu esta parte do território viajou de sudoeste a noroeste por Grand Island, Columbus, uma cidade importante em Nebraska, Schuyler, Fremont e Omaha. Ele seguiu todo seu curso ao longo da margem direita do rio Platte. O trenó, abrindo esta estrada, pegou a corda do arco descrita pela ferrovia. Mudge não podia ter medo de ser parado pelo rio Platte, com aquele pequeno cotovelo que ela fazia na frente de Fremont, já que suas águas estavam congeladas. A estrada estava completamente livre de obstáculos, e Phileas Fogg tinha apenas duas circunstâncias a temer: danos à aeronave, uma mudança ou uma queda do vento.

Mas a brisa não se acalmou. Pelo contrário. Ela soprou a ponto de dobrar o mastro, que as almofadas de ferro mantiveram firmemente. Essas cordas metálicas, parecidas com as cordas de um instrumento, ressoavam como se um arco tivesse provocado suas vibrações.

– Essas cordas dão a quinta e oitava! – disse o Sr. Fogg.

Foram as únicas palavras que pronunciou durante o trajeto. Senhora Aouda, cuidadosamente empacotada nas peles e capas de viagem, estava, na medida do possível, preservada dos ataques do frio.

Quanto a Passepartout, o rosto vermelho, como o disco solar, quando ele se deita nas névoas, ele sente esse ar pungente. Com a profundidade de confiança imperturbável que ele possuía, recuperou suas esperanças. Em vez de chegarem em Nova York pela manhã, chegaram à noite, mas ainda havia alguma chance de que fosse antes da partida do navio para Liverpool.

Passepartout sentiu um forte desejo de apertar a mão do seu aliado Fix. Ele não esqueceu que era o próprio inspetor que havia adquirido o trenó e, consequentemente, o único meio de ganhar Omaha no devido tempo. Mas, com algum pressentimento, ele mantinha a reserva de costume.

Uma coisa que Passepartout nunca esqueceria foi o sacrifício que o Sr. Fogg fez, sem hesitação, para tirá-lo das mãos dos sioux. Sr. Fogg arriscou sua fortuna e sua vida. Seu criado não esqueceria isso!

Enquanto cada um dos viajantes se entregava a reflexões tão diversas, o trenó voou sobre o imenso tapete de neve. Se ele passou por alguns riachos, afluentes ou subafluentes do rio Little-Blue, não perceberam isso. Campos e córregos desapareceram na brancura uniforme.

A planície estava absolutamente deserta. Entre a Union Pacific Road e a filial de Kearney para St. Joseph, formou-se uma grande ilha desabitada. De vez em quando, uma árvore sorridente podia ser vista passando como um flash, o esqueleto branco torcendo sob a brisa. Ocasionalmente, passavam revoadas de pássaros selvagens. Às vezes, também, alguns lobos de pradarias, em inúmeras tropas finas e famintas, conduzidas por uma necessidade feroz, disputavam a velocidade com o trenó. Então Passepartout, com o revólver na mão, estava pronto para disparar sobre o mais próximo.

Ao meio-dia, Mudge reconheceu algumas indicações de que ele passou pelo curso de gelo do rio Platte. Ele não disse nada, mas já tinha certeza de que mais vinte milhas e chegaria à estação de Omaha.

Quando o trenó parou, Mudge, apontando para um monte de telhados brancos de neve, disse:

- Chegamos.

Chegadas! Chegou a esta estação, que, por vários trens, está diariamente em comunicação com o leste dos Estados Unidos!

Passepartout e Fix haviam saltado para o chão e sacudiram seus membros entorpecidos. Eles ajudaram o Sr. Fogg e a jovem a sair do trenó. Phileas Fogg recompensou Mudge generosamente. Passepartout apertou a mão dele como amigo e todos correram para a estação de Omaha.

É nesta importante cidade do Nebraska que a própria Ferrovia do Pacífico, que liga a bacia do Mississippi com o grande oceano, para. Para ir de Omaha a Chicago, a estrada ferroviária, sob o nome de Chicago-Rock-Island-road, corre diretamente no leste servindo cinquenta estações.

Um trem direto estava pronto para sair. Phileas Fogg e seus companheiros tiveram apenas tempo para correr para um vagão. Eles não viram nada de Omaha, mas Passepartout confessou a si mesmo que não havia motivo para se arrepender.

Com grande rapidez, este trem passou por Iowa, por Council Bluffs, Des Moines, Iowa City. Durante a noite, ele atravessou o Mississippi em Davenport, e por Rock Island entrou em Illinois. No dia seguinte, às quatro horas da noite, chegou a Chicago, já se levantou de suas ruínas e mais orgulhoso do que nunca nas margens do seu belo Lago Michigan.

Nove mil quilômetros separam Chicago de Nova York. Não havia falta de trens em Chicago. O Sr. Fogg passou imediatamente de um para o outro. A locadora do Pittsburgh-Fort Wayne-Chicago-rail-road partiu a toda velocidade. Passou como relâmpago através de Indiana, Ohio, Pensilvânia, Nova Jersey, passando por cidades com nomes antigos, alguns dos quais tinham ruas e bondes, mas ainda não existem casas. Por fim, o Hudson apareceu, e no dia 11 de dezembro, às onze horas da noite, o trem parou na estação na margem direita do rio, em frente aos vapores da linha

Cunard, caso contrário conhecido como British and North American Mail Steam Packet Co.

China, com destino a Liverpool, passou por quarenta e cinco minutos!

Capítulo 32

Phileas Fogg luta contra a má sorte

A última esperança de Phileas Fogg parecia ter ido embora com a partida do navio China. Nenhum dos outros navios que fazem o serviço direto entre a América e a Europa, nem os transatlânticos franceses, nem os navios da White Star Line, nem os vapores da Companhia Imman, nem os da linha Hamburguesa, nem outros, poderiam servir para os propósitos do cavalheiro.

Com efeito, o Pereire, da Companhia transatlântica francesa só partiria dali a dois dias: 14 de dezembro. Além disso, do mesmo modo que os navios da Companhia hamburguesa, não iam diretamente a Liverpool ou a Londres, mas ao Havre, e esta travessia suplementar do Havre a Southampton, atrasaria Phileas Fogg e anularia seus últimos esforços.

Quanto aos navios Imman, um dos quais, o City of Paris, punha-se ao mar no dia seguinte, não se deveria nem pensar neles. Estes navios são particularmente destinados ao transporte de emigrantes, suas máquinas são fracas, navegam tanto a vela como a vapor, e a velocidade é medíocre. Gastam na travessia de Nova York para a Inglaterra mais tempo do que o que restava a Sr. Fogg para ganhar a aposta.

O cavalheiro se deu perfeitamente conta de tudo isso consultando seu guia Bradshaw, que lhe fornecia, dia por dia, os movimentos da navegação transoceânica.

Passepartout estava arrasado por ter perdido o navio por quarenta e cinco minutos. A culpa era sua, que, em vez de ajudar o patrão, não tinha parado de semear obstáculos em seu caminho! E se cobria de injúrias ao calcular as quantias despendidas só no seu interesse, na enorme aposta, com o acréscimo das despesas consideráveis desta viagem agora perdida, que arruinava completamente o Sr. Fogg.

Sr. Fogg não lhe fez, contudo, nenhuma censura, e, ao deixar o embarcadouro dos navios transatlânticos, só disse estas palavras:

– Amanhã verem os o que se pode fazer. Vamos!

Sr. Fogg, Sra. Aouda, Fix, Passepartout atravessaram o Hudson no Jersey City *ferry boat*, e subiram em um táxi, que os conduziu ao hotel Saint Nicolas, na Broadway. Quartos foram postos à disposição deles, e a noite passou rápido para Phileas Fogg, que dormiu um sono perfeito. Mas a noite foi bem longa para Sra. Aouda e seus companheiros, aos quais a agitação não permitiu repousar.

O dia seguinte era 12 de dezembro. Do dia 12, às sete da manhã, ao dia 21, às oito e quarenta e cinco da noite, eram nove dias, treze horas e quarenta e cinco minutos.

Se Phileas Fogg tivesse partido na véspera pelo China, um dos melhores cruzadores da linha Cunard, teria chegado a Liverpool, depois a Londres, no prazo desejado.

Depois de ter recomendado ao criado que o esperasse e avisasse Sra. Aouda para que estivesse pronta a qualquer momento, Sr. Fogg saiu sozinho do hotel. Foi para as margens do Hudson e, entre os navios, procurou atentamente os que estavam de partida.

Muitas embarcações tinham o sinal de partida e se preparavam para se fazer ao mar na maré da manhã, porque neste imenso e admirável porto de Nova York, não há dia em que cem navios não façam rota para todos os pontos do globo. Mas a maioria era de embarcações a vela, e não serviam para a viagem.

Phileas Fogg pensava que sua última tentativa havia falhado, quando avistou ancorado um navio de mercante cuja chaminé, com grossas nuvens de fumaça, indicava que se preparava para partir.

Phileas Fogg chamou um bote, embarcou nele, e, em poucas remadas, chegou à escada do Henrietta, um vapor de casco de ferro, com acabamento em madeira. Phileas Fogg subiu ao convés e pediu para chamarem o capitão, que apareceu logo.

Era um homem de cinquenta anos, uma espécie de lobo marinho, um resmungão que não deveria ser tratável. Olhos grandes, raiados de cobre oxidado, cabelos vermelhos, pescoço encorpado. Não tinha o aspecto de um homem delicado.

– Eu sou Phileas Fogg de Londres.

– E eu, Andrew Speedy, de Cardif.

– Está indo zarpando?

– Em uma hora.

– E sua carga?

– Pedras na barriga. Sem frete. Eu vou no lastro.

– Você tem passageiros?

– Sem passageiros. Mercadoria complicada.

– Seu navio está indo bem?

– Entre onze e doze nós.

– Você me levará e três pessoas para o Liverpool?

– Liverpool? Por que não para a China?

– Liverpool.

– Não!

– Não?

– Parto para Bordeaux e vou para Bordeaux.

– Algum preço?

– Nenhum preço.

O capitão falou em um tom que não admitiu nenhuma resposta.

– E os armadores da Henrietta? – disse Phileas Fogg.

– Sou eu o armador. O navio é meu! – respondeu o capitão.

– Eu freto.

– Não, não.

– Compro!

– Não, não.

Phileas Fogg não piscou. No entanto, a situação era séria. Não era como em Nova York a partir de Hong Kong, nem como com Tankadère. Até agora, o dinheiro do cavalheiro havia superado os obstáculos. Desta vez, o dinheiro falhou.

Tinha que encontrar uma maneira de atravessar o Atlântico de barco, a menos que fosse em um balão, o que teria sido uma grande aventura, mas não era viável. Phileas Fogg teve uma ideia e disse ao capitão:

– Gostaria de me levar para Bordeaux?

– Nem que me pague duzentos dólares!

– Eu ofereço dois mil.

– Por pessoa?

– Por pessoa.

– Quantas pessoas?

– Quatro.

O capitão Speedy começou a coçar a testa, como se quisesse arrancar a epiderme. Oito mil dólares, sem modificar sua jornada, vale a pena o problema, mesmo demonstrando sua antipatia para todo tipo de passageiros. Os passageiros de dois mil dólares, além disso, não são mais passageiros, são mercadorias preciosas.

– Parto às nove horas, se você e o seu estiverem aqui...

– Às nove horas, estaremos a bordo! – respondeu Sr. Fogg.

Eram oito e meia. O cavalheiro desembarcou do Henrietta, entrou em um carro, foi ao Hotel Saint-Nicolas e trouxe a Sra. Aouda, Passepartout e até mesmo o inseparável Fix, a quem ele ofereceu graciosamente a passagem. Tudo feito pelo cavalheiro com aquela calma que nunca o abandonou sob nenhuma circunstância.

Quando o Henrietta partiu, os quatro estavam a bordo.

Quando Passepartout soube do custo desta última viagem, ele soltou um "Oh!" que se estendeu por todos os intervalos da escala cromática descendente!

O inspetor Fix disse que o Banco da Inglaterra definitivamente não deixaria este caso sem solução. Calculou que o Sr. Fogg jogou alguns punhados de dinheiro no mar, mais de sete mil libras do saco de notas do banco.

Capítulo 33

Phileas Fogg parece à altura das circunstâncias

Uma hora depois, o vapor Henrietta ultrapassou o farol da entrada do Hudson, dobrava a ponta de Sandy Hook e dava para o mar. Durante a jornada, costeou Long Island, ao largo das luzes de Fire Island, e correu rapidamente para leste.

Ao meio-dia do dia seguinte, 13 de dezembro, um homem subiu ao convés para determinar as coordenadas. Supõem, por certo, que este homem era o capitão Speedy ! Nada disso. Era Phileas Fogg. O capitão Speedy estava trancado e bem trancado em seu camarote, e soltava uivos que denotavam uma grande cólera.

Phileas Fogg queria ir a Liverpool, o capitão não quis conduzi-lo para lá. Então Phileas Fogg tinha aceitado comprar passagem para Bordeaux, e, nas trinta horas que esteve no navio, tinha manobrado tão bem com seu dinheiro a tripulação, que andava em péssimos termos como capitão. Eis por que Phileas Fogg comandava em lugar do capitão Speedy, por que o capitão estava trancado no camarote, e por que enfim o Henrietta se dirigia para Liverpool. E bastava ver Sr. Fogg manobrar, para saber que ele tinha sido marujo.

E agora, como acabaria a aventura, é o que mais tarde se saberá. Contudo, Sra. Aouda não deixava de se sentir inquieta, apesar de nada dizer. Fix tinha ficado estupefato a princípio. Quanto a Passepartout, achava simplesmente fantástico.

Entre onze a doze nós, tinha dito o capitão Speedy, e com efeito o Henrietta se mantinha nesta média de velocidade.

Se, pois – que ainda havia "se"! Se o mar não ficasse muito ruim, se o vento não saltasse para leste, se não sucedesse nenhuma avaria ao barco, nenhum acidente à máquina, o Henrietta, nos nove dias contados de 12 de dezembro a 21, poderia atravessar as três mil milhas que separam Nova York de Liverpool. É verdade que uma vez lá, o negócio do Henrietta somando-se ao do banco, poderia levar o cavalheiro um pouco mais longe de onde queria.

Durante os primeiros dias, a navegação se fez em excelentes condições. O mar não estava muito duro e o vento parecia firme a nordeste. Largaram-se as velas e *o* Henrietta andou como um verdadeiro transatlântico.

Passepartout estava encantado. A última proeza de seu patrão, da qual não queria ver as consequências, o entusiasmou. Jamais a tripulação vira um rapaz mais alegre, mais ágil. Fazia mil gentilezas para os marinheiros e os assombrava com suas piruetas de malabarista. Com prodigalidade lhes dava os melhores nomes e as bebidas mais atraentes. Para ele, manobravam como cavalheiros e os fogueiros atiçavam as fornalhas como heróis. Seu bom humor, muito comunicativo, contagiava todos. Esquecera o passado, os aborrecimentos, os perigos. Só pensava na meta da viagem, tão próxima, e às vezes ardia de impaciência como se tivesse sido aquecido nas fornalhas do Henrietta. Muitas vezes também, o rapaz rodeava Fix e o olhava com olho comprido! Mas não lhe falava, porque já não existia nenhuma intimidade entre os dois velhos amigos.

Enquanto isso, Fix já não compreendia nada! A conquista do Henrietta, a compra de sua tripulação, aquele Fogg manobrando como um marinheiro consumado, todo este conjunto de coisas o aturdia. Não sabia mais o que pensar! Mas, afinal, um cavalheiro que começava roubando cinquenta e cinco mil libras podia muito bem acabar por roubar uma embarcação. E Fix foi naturalmente levado a crer que o Henrietta, com Fogg no timão, não iria de jeito nenhum para Liverpool, mas para algum ponto do mundo onde o ladrão, agora pirata, se poria tranquilamente em segurança! Esta hipótese, admitamos, não poderia ser mais plausível, e o detetive começava a se arrepender muito seriamente de ter embarcado nessa.

Quanto ao capitão Speedy, continuava a uivar no camarote, e Passepartout, encarregado de lhe levar alimentos, tomava maiores precauções. Sr. Fogg, esse, nem mesmo parecia crer que houvesse um capitão a bordo.

No dia 13, passaram pela extremidade da Terra Nova. São más paragens. Durante o inverno sobretudo, os nevoeiros são frequentes, as borrascas, temíveis. Desde a véspera, o barômetro, que baixara repentinamente, fazia pressentir uma mudança próxima na atmosfera. Com efeito, durante a noite, a temperatura mudou: o frio tornou-se mais intenso, e ao mesmo tempo o vento rodou para sudeste.

Sr. Fogg, para não se afastar de sua rota, teve de apertar as velas e forçar o vapor. Contudo, o andamento do navio foi diminuindo, tendo em conta o estado do mar, cujas imensas ondas quebravam contra a roda de proa. O navio começou a arfar violentamente, em prejuízo da sua velocidade. O vento virava furacão, e já se previa o momento em que o Henrietta não pudesse mais se manter sobre as ondas. Ora, se fosse preciso fugir diante do temporal, surgiria o desconhecido com todas as suas consequências.

O semblante de Passepartout carregou-se ao mesmo tempo que o céu, e, por dois dias, o rapaz passou por transes mortais. Mas Phileas Fogg era um marinheiro ousado, que sabia resistir ao mar, e continuou o seu caminho sem sequer diminuir o vapor. O Henrietta, quando não podia levantar-se sobre a vaga, atravessava-a, o mar varria o convés, mas passava. Por vezes a hélice emergia, agitando suas pás no ar vertiginosamente, quando alguma montanha de água levantava sua popa para fora da superfície da água. Porém, o navio ia sempre em frente.

Contudo o vento não soprou tão forte quanto poderiam ter esperado. Não se tornou um deste tufões que passam a uma velocidade de noventa milhas por hora. Soprou suportavelmente, mas infelizmente soprou com obstinação do sudeste e não permitiu que se largasse o pano. E contudo, como veremos, teria sido muito útil que tivesse vindo em auxílio do vapor.

Dia 16 de dezembro, era o septuagésimo quinto dia desde a partida de Londres. Em resumo, o Henrietta não tinha ainda um atraso inquietante. Metade da travessia, mais ou menos, já estava feita, e as piores paragens tinham sido vencidas. No verão, poderiam ter tido certeza de sucesso. No inverno, estavam à mercê do mau tempo. Passepartout não emitia sua opinião. No fundo, tinha esperanças, e, se faltasse vento, punha fé no vapor.

Ora, naquele dia, o maquinista tendo subido à coberta, encontrou Sr. Fogg e falou acaloradamente com ele.

Sem saber bem por que – por um pressentimento sem dúvida – Passepartout experimentou uma vaga inquietação. Teria dado uma de suas orelhas para ouvir com a outra o que era dito. Contudo, pôde apanhar algumas palavras, pronunciadas por seu patrão:

– Tem certeza do que disse? – perguntou Sr. Fogg.

– Certeza absoluta, senhor, respondeu o maquinista. Não se esqueça de que, desde nossa partida, temos tido as fornalhas sempre acesas, e que se temos suficiente carvão para ir a pouco vapor de Nova York a Bordeaux, não temos o bastante para ir a todo o vapor de Nova York a Liverpool.

– Pensarei nisso, respondeu Sr. Fogg.

Passepartout tinha compreendido. Ficou mortalmente inquieto. Ia faltar carvão!

– Ah! Se meu patrão passa por esta, disse ele consigo mesmo, ficará famoso!

E tendo encontrado Fix, não conseguiu se conter de colocá-lo a par da situação.

– Pois então, lhe respondeu o agente com os dentes cerrados, julga mesmo que vamos para Liverpool!

– Claro que sim !

– Imbecil! – respondeu o inspetor, que se afastou, encolhendo os ombros.

Passepartout esteve a ponto de fazê-lo engolir o adjetivo, cujo sentido verdadeiro não podia aliás compreender; mas disse para si que o infortunado Fix deveria estar muito desapontado, muito humilhado em seu amor próprio, depois de ter tão atabalhoadamente seguido uma pista falsa em redor do mundo, e desculpou-o.

Que decisão iria tomar Phileas Fogg? Era difícil de imaginar! Entretanto pareceu que o fleumático cavalheiro tinha tomado uma, porque naquela mesma tarde mandou chamar o maquinista, e lhe disse:

– Atice o fogo e vá em frente até acabar completamente o combustível. Instantes depois, a chaminé do Henrietta vomitava turbilhões de fumaça.

O navio continuou assim a todo vapor, mas, como tinha sido avisado, dois dias mais tarde, dia 18, o maquinista fez saber que o carvão acabaria naquele dia.

Que não deixem o fogo baixar, respondeu Sr. Fogg. Pelo contrário. Abram as válvulas.

Naquele dia, por volta do meio-dia, depois de ter tomado a altura do sol, e calculado a posição do navio, Phileas Fogg fez vir Passepartout, e deu-lhe a ordem de ir buscar o capitão Speedy. Era como se tivessem mandado o rapaz desacorrentar um tigre, e ele desceu ao tombadilho, se dizendo:

– Vai ficar raivoso!

Com efeito, alguns minutos mais tarde, em meio a gritos e pragas, uma bomba chegava ao tombadilho. Esta bomba, era o capitão Speedy. E era evidente que ela iria explodir.

– Onde estamos? – Foram as primeiras palavras que pronunciou no meio das sufocações de cólera, e se não ficasse apoplético, jamais ficaria.

– Onde estamos? – repetiu, com a face congestionada.

– A 770 milhas de Liverpool, respondeu Sr. Fogg com uma calma imperturbável.

– Pirata!

– Pirata! – exclamou Andrew Speedy.

– Mandei-o chamar, senhor...

– Corsário!

–...senhor, retomou Phileas Fogg, para pedir que me venda o seu navio.

– Não! Por todos os diabos, não!

– É que vou ser obrigado a queimá-lo.

– Queimar meu navio!

– Sim, pelo menos a parte superior, porque estamos sem combustível.

– Queimar meu navio! – gritou o capitão Speedy, que já nem podia mais sequer pronunciar as sílabas. Um navio que vale cinquenta mil dólares.

– Aqui tem sessenta mil! – respondeu Phileas Fogg, oferecendo ao capitão um maço de notas.

Isso teve um efeito mágico sobre Andrew Speedy. Não se é americano sem que a visão de sessenta mil dólares lhe cause uma certa emoção. O capitão esqueceu em um instante sua cólera, seu encarceramento, todas as queixas contra seu passageiro. O navio tinha vinte anos. Aquilo poderia vir a ser uma mina de ouro!... A bomba não poderia mais explodir. Sr. Fogg arrancara seu estopim.

– E o casco de ferro ficará para mim! – disse em um tom singularmente doce.

– O casco de ferro e a máquina, senhor. Fechado?

– Fechado.

E Andrew Speedy, pegando o maço, contou e em bolsou.

Durante esta cena, Passepartout estava lívido. Quanto a Fix, quase que teve um infarto. Quase vinte mil libras gastas, e ainda por cima este Fogg abandonava ao vendedor o casco e a máquina, isto é, quase o valor total do navio! É bem verdade que a quantia roubada do banco era de cinquenta e cinco mil libras!

Quando Andrew Speedy tinha em bolsado o dinheiro, Sr. Fogg disse:

– Senhor, que tudo isso não lhe cause admiração. Saiba que perco vinte mil libras se não estiver em Londres dia 21 de dezembro, às oito e quarenta e cinco da noite. Ora, perdi o navio de Nova York, e como se recusava a me levar a Liverpool...

– E fiz bem, pelos cinquenta mil diabos do inferno, exclamou Andrew Speedy, pois com isso ganhei pelo menos quarenta mil dólares.

Depois, mais pausadamente:

– Sabe uma coisa, acrescentou, capitão...

– Fogg.

– Capitão Fogg, pois bem, há um yankee no senhor.

E depois de ter feito ao seu passageiro o que ele julgava um cumprimento, ia embora, quando Phileas Fogg lhe disse:

– Agora este navio me pertence?

– Claro, da quilha até à ponta dos mastros; tudo o que for madeira, claro.

– Faça demolir as divisões internas e aquecer a caldeira com os destroços.

Imaginem o que foi preciso consumir de madeira seca para conservar o vapor com suficiente pressão. Naquele dia, o tombadilho, os camarotes de convés, as cabinas, os alojamentos, a falsa coberta, tudo foi abaixo.

No dia seguinte, 19 de dezembro, queimou-se a mastreação, as peças de substituição, as antenas. Abateram -se os mastros, foram cortados a machadadas. Passepartout, rachando, cortando, serrando, fazia o trabalho de dez homens. Era um furor de demolição.

No dia seguinte, 20, haviam devorado a maior parte da coberta. O Henrietta não era mais que uma embarcação rasa.

Mas, nesse dia, foi avistada a costa da Irlanda e as luzes de Fastenet. Contudo, às dez horas, o navio estava ainda na altura de Queenstown. Phileas Fogg não tinha mais de vinte e quatro horas para chegar a Londres! Ora, era o tempo necessário para o Henrietta chegar a Liverpool – mesmo navegando a todo o vapor. E o vapor iria faltar afinal ao audacioso cavalheiro.

– Senhor, disse então o capitão Speedy, que tinha acabado se interessando por seus projetos, lamento de verdade. Tudo está contra si! Não estamos senão diante de Queenstown.

– Ah! – exclamou Sr. Fogg, é Queenstown, esta cidade cujas luzes vemos é Queenstown?

– Sim.

– Podemos entrar no porto?

– Não antes das três. Só com maré cheia.

– Esperemos! – respondeu tranquilamente Phileas Fogg, sem revelar em seu rosto que, por uma suprema inspiração, iria tentar mais uma vez vencer a sorte adversa!

Com efeito, Queenstown é um porto da costa da Irlanda na qual os transatlânticos que vêm dos Estados Unidos deixam na passagem as suas malas postais. As cartas são levadas a Dublin por expressos sempre prontos para partir. De Dublin chegam a Liverpool por vapores de grande velocidade – precedendo em doze horas os barcos mais rápidos das companhias marítimas.

Estas doze horas que assim ganhava o correio da América, Phileas Fogg pretendia também ganhá-las. Em lugar de chegar no Henrietta, no dia seguinte à tarde, em Liverpool, chegaria ao meio-dia, e, por conseguinte, teria tempo para estar em Londres antes das oito horas e quarenta e cinco minutos da noite.

O Henrietta entrou por volta de uma da manhã, com o mar alto no porto de Queenstown, e Phileas Fogg, depois de ter recebido um vigoroso aperto de mão do capitão Speedy, deixava-o no casco sucateado do seu navio, que ainda valia a metade do que tinha vendido!

Os passageiros desembarcaram depressa. Fix, neste momento, teve um desejo feroz de deter o senhor Fogg. Mas não o fez! Por quê? Que combate se travava nele? Teria mudado de ideias a respeito de Sr. Fogg? Compreendera afinal que se enganara? Todavia, Fix não abandonou Sr. Fogg. Com ele, com Sra. Aouda, com Passepartout, que já nem gastava o tempo para respirar, subiu no trem de Queenstown à uma e meia da madrugada. Chegou a Dublin com o dia nascendo, e embarcou logo num desses vapores que desdenhando elevar-se sobre as ondas, passam invariavelmente através delas.

Vinte minutos antes do meio-dia do dia 21 de dezembro, Phileas Fogg desembarcou afinal no cais de Liverpool. Não estava a mais de seis horas de Londres.

Mas neste momento, Fix se aproximou, pôs a mão no seu ombro, e, exibindo seu mandado:

– É o senhor Phileas Fogg? – disse ele.

– Sim, senhor.

– Eu o prendo...

– Eu o prendo, em nome da Rainha!

Capítulo 34

Passepartout faz um trocadilho infame

Phileas Fogg estava ´preso. Tinha sido detido no posto policial da Custom House, a alfândega de Liverpool, e aí deveria passar a noite esperando ser transferido para Londres.

No momento da detenção, Passepartout tinha tentado atacar o detetive. Os policiais impediram. Sra. Aouda, chocada pela brutalidade do fato, nada sabendo, nada compreendia. Passepartout lhe explicou a situação. Sr. Fogg, este honesto e corajoso cavalheiro, ao qual ela devia a vida, estava preso como ladrão. A jovem protestou contra tal alegação, seu coração se indignou, e as lágrimas correram de seus olhos, quando viu que nada podia fazer, nada tentar, para salvar seu salvador.

Quanto a Fix, tinha prendido o cavalheiro porque seu dever o comandava, fosse culpado ou não. A justiça decidiria.

Mas então um pensamento veio a Passepartout, o pensamento terrível de que ele era decididamente a causa de toda aquela desgraça! Com efeito, por que tinha ocultado o que se passava de Sr. Fogg? Quando Fix tinha revelado sua qualidade de inspetor de polícia e a missão de que tinha sido encarregado, por que tinha decidido não avisar o patrão? Fosse alertado, teria sem dúvida dado a Fix provas de sua inocência. Teria demostrado seu erro. Não teria levado às suas custas e nas suas costas este mal-agradecido agente, cujo primeiro cuidado tinha sido prendê-lo, no momento em que punha o pé no solo do Reino Unido. Ao pensar em suas faltas, em suas imprudências, o pobre rapaz foi tomado de irresistíveis remorsos. Chorava, dava pena vê-lo. Queria dar com a cabeça na parede!

Apesar do frio, ele e Sra. Aouda ficaram na alfândega. Não queriam deixar o lugar. Desejavam rever ainda uma vez Sr. Fogg.

Quanto a este cavalheiro, estava bem e em regra arruinado, e justo no momento em que ia alcançar seu objetivo. Esta detenção o derrubava irrevogavelmente.

Tendo chegado vinte para meio-dia em Liverpool, dia 21 de dezembro, tinha até as oito horas e quarenta e cinco minutos para se apresentar no Reform Club, ou seja, nove horas e quinze minutos – e não precisaria mais de seis para chegar a Londres.

Neste momento, quem tivesse penetrado no posto policial da alfândega, teria encontrado Sr. Fogg, imóvel, sentado num banco de madeira, sem cólera, imperturbável. Resignado, não sabemos, mas este último golpe não o emocionara, pelo menos aparentemente. Teria se formado nele uma dessas tempestades secretas, terríveis porque são reprimidas, e que não eclodem senão no último momento com uma força irresistível? Não sabemos. Mas Phileas Fogg estava ali, calmo, aguardando... o quê? Conservaria alguma esperança? Confiaria ainda no sucesso, quando a porta desta prisão estava trancada sobre ele?

Fosse como fosse, Sr. Fogg tinha cuidadosamente posto seu relógio sobre uma mesa e olhava os ponteiros avançarem. Nem uma palavra escapava de seus lábios, mas seu olhar tinha uma fixidez ímpar.

Em todo caso, a situação era terrível, e, para quem não pudesse ler naquela consciência, ela se resumia assim:

Homem honesto, Phileas Fogg estava arruinado. Homem desonesto, estava preso.

Teria então o pensamento de se salvar? Pensava em procurar se este posto apresentaria uma saída praticável? Pensava em fugir? Seríamos tentados a acreditar que sim, porque, em certo momento, inspecionou o quarto. Mas a porta estava solidamente fechada e as janelas guarnecidas de barras de ferro. Voltou a se sentar, e tirou da carteira o roteiro da viagem. Na linha que trazia estas palavras:

"21 do dezembro, sábado, Liverpool", acrescentou: "80° dia, 11h40 da manhã", e esperou.

Uma hora soou no relógio da Custom-house. Sr. Fogg constatou que o seu relógio estava dois minutos adiantado em relação a ele.

Duas horas! Admitindo que tomasse neste momento um expresso, poderia ainda chegar a Londres e ao Reform Club antes das oito e quarenta e cinco da noite. Sua testa enrugou-se ligeiramente...

Às duas e trinta e três, um barulho ressoou do lado de fora, um barulho tumultuoso de portas que se abriam. Ouviu-se a voz de Passepartout, ouviu-se a voz de Fix. O olhar de Phileas Fogg brilhou um instante.

A porta do posto policial se abriu, e viu Sra. Aouda, Passepartout, Fix, que se precipitaram para ele.

Fix estava sem fôlego, cabelos em desalinho... Não podia falar!

– Senhor, balbuciou, senhor... perdão... uma semelhança deplorável... Ladrão está preso há três dias... está... livre!...

Phileas Fogg estava livre! Foi até o detetive. Olhou diretamente para seu rosto, e, fazendo o único movimento rápido que jamais tinha feito em sua vida, recuou seus dois braços para trás, depois, com a precisão de um autômato, bateu com seus dois punhos no infeliz inspetor.

– Bem dado! – exclamou Passepartout, que, se permitindo um infame trocadilho, bem digno de um francês, acrescentou:

– Caramba! Eis o que se pode chamar de um soco inglês bem aplicado!

Fix, derrubado, não pronunciou palavra. Levara o que tinha merecido. Mas de imediato Sr. Fogg, Sra. Aouda, Passepartout deixaram a alfândega. Lançaram - se em um veículo, e, em alguns minutos, chegaram à estação de Liverpool.

Phileas Fogg perguntou se havia um expresso prestes a partir para Londres. Eram duas e quarenta... O expresso tinha partido havia trinta e cinco minutos. Phileas Fogg solicitou então um trem especial.

Havia diversas locomotivas a vapor de grande velocidade. Mas, atendendo às exigências do serviço, o trem especial só poderia deixar a estação às três horas. Às três horas, Phileas Fogg, depois de ter dito algumas palavras ao maquinista sobre uma certa gratificação, corria em direção a Londres, em companhia da jovem e do seu fiel servidor.

Era preciso percorrer em cinco horas e meia a distância que separa Liverpool de Londres - coisa muito fácil quando a via está livre em todo o percurso. Mas houve atrasos forçados, e, quando o cavalheiro chegou à estação, dez para as nove era o que marcavam todos os relógios de Londres.

Phileas Fogg, depois de ter dado a volta ao mundo, chegava com um atraso de cinco minutos!...

Tinha perdido.

Capítulo 35

Passepartout não pede ao patrão para repetir uma ordem

No dia seguinte, os moradores de Saville Row teriam ficado bem surpresos, se lhes tivessem dito que Sr. Fogg tinha voltado para casa. Portas e janelas, tudo estava fechado. Nenhuma mudança se tinha produzido exteriormente.

Com efeito, após ter deixado a estação, Phileas Fogg tinha mandado Passepartout comprar algumas provisões, e tinha voltado para casa.

O cavalheiro tinha recebido com sua impassibilidade habitual o golpe que o ferira. Arruinado! E por culpa deste inspetor de polícia trapalhão! Após ter caminhado a passos seguros durante um longo percurso, após ter ultrapassado mil obstáculos, superado mil perigos, tendo ainda tempo para fazer algum bem pelo caminho, morrer na praia por um fato brutal, que não poderia prever, e contra o qual estava desarmado: era terrível! Da soma considerável que tinha levado ao partir, só lhe restava um saldo insignificante. Sua fortuna era só as vinte mil libras depositadas no banco, e essas vinte mil libras, ele as devia aos seus colegas do Reform Club. Após tantas despesas, ganhar a aposta não o teria enriquecido sem dúvida, e é provável que não tivesse procurado se enriquecer - sendo desses homens que apostam por honra - mas a aposta perdida o arruinava totalmente. E mais, a decisão do cavalheiro estava tomada. Sabia o que lhe restava fazer.

Um quarto da casa de Saville Row tinha sido reservado para Sra. Aouda. A jovem estava desesperada. Por certas palavras pronunciadas por Sr. Fogg, compreendera que este meditava algum plano funesto.

Sabemos, com efeito, a que deploráveis extremos são levados às vezes esses ingleses monomaníacos sob a pressão de uma ideia fixa. Também Passepartout, sem parecer, vigiava seu patrão.

Assim que chegou, o rapaz tinha subido ao seu quarto e apagado o bico que brilhava há oitenta dias. Tinha encontrado na caixa do correio uma conta da companhia do gás, e pensou que era mais que tempo de parar com esta despesa pela qual era responsável.

A noite passou. Sr. Fogg tinha deitado, mas teria dormido? Quanto a Sra. Aouda, não pôde ter um só instante de repouso. Passepartout ficou de vigia a noite toda, como um cão fiel, à porta de seu dono.

No dia seguinte, Sr. Fogg o chamou e recomendou-lhe, em termos muito breves, que trouxesse o almoço de Sra. Aouda, uma xícara de chá e uma torrada para ele. Sra. Aouda que o desculpasse no almoço e no jantar, porque todo seu tempo estaria consagrado a colocar em ordem seus negócios. Não desceria. À noite somente, e pedia a Sra. Aouda permissão para encontrá-la por alguns instantes.

Passepartout, tendo recebido o programa do dia, tinha que se conformar com ele.

Olhava seu patrão sempre impassível, e não podia se decidir a deixar o quarto. Seu coração estava aflito, sua consciência torturada por remorsos, porque se acusava mais que nunca deste irreparável desastre. Se tivesse avisado Sr. Fogg, se lhe tivesse revelado os planos do agente Fix, Sr. Fogg não teria certamente arrastado o agente até Liverpool, e então... Passepartout não pôde se conter:

– Meu patrão! Senhor Fogg! Amaldiçoe-me. É por minha culpa que...

– Não acuso ninguém, respondeu Phileas Fogg no tom mais calmo. Vá. Passepartout deixou o quarto e veio encontrar a jovem, à qual participou as intenções de seu patrão:

– Madame, por mim nada posso, nada! Não tenho nenhuma influência sobre o espírito de meu patrão. A senhora, talvez...

– Que influência teria, respondeu Sra. Aouda. Sr. Fogg não sente influência alguma! Compreendeu alguma vez que o meu reconhecimento estava prestes a transbordar! Leu alguma vez em meu coração!... Meu amigo, é preciso não o deixar, um só instante. Disse que ele manifestou a intenção de falar comigo esta noite?

– Sim, madame. Trata-se sem dúvida de salvaguardar sua situação na Inglaterra.

– Esperemos, respondeu a jovem, que ficou toda pensativa.

Assim, durante todo o domingo, a casa de Saville Row esteve parecendo desabitada, e, pela primeira vez desde que morava nessa casa, Phileas Fogg não foi ao seu clube, quando onze e meia soaram na torre do parlamento.

E por que este cavalheiro teria se apresentado ao Reform Club? Seus colegas já não o esperavam mais. Pois que, na véspera à noite, naquela data fatal do sábado dia 21 de dezembro, às oito horas e quarenta e cinco, Phileas Fogg não tendo aparecido no salão do

Reform Club, sua aposta estava perdida. Nem era necessário que fosse ao seu banqueiro retirar a soma de vinte mil libras. Seus adversários tinham em mãos um cheque assinado por ele, e bastaria um simples lançamento feito no banco para que as vinte mil libras lhes fossem creditadas. Sr. Fogg não tinha por que sair, e não saiu. Ficou no seu quarto e pôs em ordem seus negócios. Passepartout não cessou de subir e descer a escada da casa de Saville Row. As horas não andavam para o pobre rapaz. Escutava à porta do quarto do patrão, e, fazendo isso, não julgava cometer a menor indiscrição!

Olhava pelo buraco da fechadura, e imaginava ter esse direito! Passepartout temia a cada instante alguma catástrofe. Às vezes, pensava em Fix, mas uma reviravolta se tinha produzido em seu espírito. Não queria mais mal ao agente de polícia. Fix tinha se enganado como todo mundo a respeito de Phileas Fogg, e, seguindo-o, prendendo-o, não tinha feito mais que o seu dever, enquanto que el... Esta ideia o oprimia, e ele se julgava o último dos miseráveis.

Quando, por fim, Passepartout se achava infeliz demais para ficar sozinho, batia à porta de Sra. Aouda, entrava no quarto, sentava-se a um canto sem dizer palavra, e contemplava a jovem sempre pensativa.

Pelas sete e meia da noite, Sr. Fogg mandou perguntar a Sra. Aouda se o podia receber, e alguns instantes depois, a jovem e ele estavam a sós no quarto.

Phileas Fogg pegou uma cadeira e sentou perto da lareira, de frente para Sra. Aouda. Seu rosto não refletia nenhuma emoção. O Fogg do regresso era exatamente o Fogg da partida. Mesma calma, mesma impassibilidade.

Permaneceu sem falar por cinco minutos. Depois, erguendo os olhos para Sra. Aouda:

– Madame, disse, me perdoa por tê-la trazido para a Inglaterra?

– Eu, Sr. Fogg! – respondeu Sra. Aouda, comprimindo os batimentos de seu coração.

– Por favor, me deixe concluir, retomou Sr. Fogg. Quando tive o pensamento de levá-la para longe daquele país, que se tornara tão perigoso para si, era rico, e contava colocar uma parte da minha fortuna à sua disposição. Sua existência teria sido feliz e livre. Agora, estou arruinado.

Eu sei, senhor Fogg, respondeu a jovem, e eu perguntarei do meu lado:

– Me perdoa por tê-lo seguido e – quem sabe? – ter talvez, o atrasado, contribuído para a sua ruína?

– Madame, não podia ficar na Índia, e sua salvação só estaria assegurada se se afastasse o suficiente para que aqueles fanáticos não a pudessem recapturar.

– Assim, senhor Fogg, retomou Sra. Aouda, não contente de me livrar de uma morte horrível, se sentiu obrigado a assegurar minha posição no estrangeiro?

– Sim, madame, respondeu Fogg, mas os acontecimentos se viraram contra mim. Entretanto, do pouco que m e resta, peço licença para dispor a seu favor.

– Mas, senhor Fogg, o senhor, que será feito do senhor? – perguntou Sra. Aouda.

– Eu, madame, respondeu friamente o cavalheiro, eu não preciso de nada.

– Mas como, senhor, encara a sorte que o espera?

– Como convém encarar, respondeu Sr. Fogg.

– Em todo caso, retomou Sra. Aouda, a miséria não saberia alcançar um homem como o senhor. Seus amigos...

– Não tenho amigos, madame.

– Seus parentes...

– Já não tenho parentes.

– Eu lamento então, senhor Fogg, porque o isolamento é coisa triste. Imagine! nem um coração onde lançar suas mágoas. Dizem, contudo, que a dois a própria miséria é ainda suportável.

– Dizem, madame.

– Senhor Fogg, disse então Sra. Aouda, que se levantou e estendeu sua mão para o cavalheiro, quer ao mesmo tempo uma parente e uma amiga? Me quer para sua mulher?

Sr. Fogg, a esta palavra, tinha também se levantado. Tinha um brilho não usual nos olhos, um tremor nos lábios. Sra. Aouda o olhava. A sinceridade, a retidão, a firmeza e a doçura deste belo olhar de uma nobre mulher que tudo ousa para salvar aquele a quem tudo deve, o espantaram a princípio, depois o comoveram. Fechou os olhos por um instante, como que para evitar que aquele olhar lhe penetrasse mais fundo... Quando os reabriu:

– Eu a amo! – disse simplesmente. Sim, na verdade, por tudo o que há de mais sagrado no mundo, eu a amo, e sou todo seu!

– Ah!... – exclamou Sra. Aouda, levando sua mão ao coração.

Passepartout foi chamado. Veio imediatamente. Sr. Fogg tinha ainda em sua mão a mão de Sra. Aouda. Passepartout compreendeu, e seu grande rosto brilhou como o sol no zênite das regiões tropicais.

Sr. Fogg lhe perguntou se não seria muito tarde para ir avisar o reverendo Samuel Wilson, da paróquia de Mary LeBone.

Passepartout sorriu o seu melhor sorriso.

– Nunca é muito tarde, disse. São só oito e cinco.

– Será amanhã, segunda feira! – disse.

– Amanhã, segunda-feira – perguntou Sr. Fogg olhando a jovem.

– Amanhã, segunda-feira! – respondeu Sra. Aouda.

Passepartout saiu, correndo.

Capítulo 36

Phileas Fogg volta a subir nas apostas

É tempo de dizer aqui que reviravolta de opinião tinha acontecido no Reino Unido, quando se soube da prisão do verdadeiro ladrão do banco, um certo James

Strand, prisão que tinha acontecido em 17 de dezembro, em Edimburgo. Três dias antes, Phileas Fogg era um criminoso que a polícia perseguia de todo jeito, e agora era o mais honesto cavalheiro, que realizava matematicamente sua excêntrica viagem ao redor do mundo.

Que efeito, que repercussão nos jornais! Todos os apostadores a favor ou contra, que tinham já esquecido este caso, ressuscitaram como por mágica. Todas as transações voltavam a ter valor. Todos os com prometimentos reviviam, e, é preciso dizer, as apostas recomeçavam com uma nova energia. O nome de Phileas Fogg foi novamente preferencial no mercado.

Os cinco colegas do cavalheiro, no Reform Club, passaram estes três dias em uma certa inquietação. Phileas Fogg, que eles tinham esquecido, reaparecia a seus olhos! Onde estaria neste momento? Em 17 de dezembro – dia em que Jam es Strand foi preso – havia setenta e sete dias que Phileas Fogg tinha partido, e nenhuma notícia dele! Teria sucumbido? Teria renunciado à luta, ou continuaria seu caminho seguindo o roteiro combinado? E sábado 21 de dezembro, às oito e quarenta e cinco da noite, iria aparecer, como o deus da exatidão, sobre a soleira do salão do Reform Club?

Temos que renunciar a pintar a ansiedade em que, durante três dias, viveu todo este mundo da sociedade inglesa. Expediram-se despachos para a América, para a Ásia, para se ter notícias de Phileas Fogg! Mandaram vigiar de manhã à noite a casa de Saville Row... Nada. A própria polícia não sabia mais o que tinha acontecido ao detetive Fix, que se tinha tão atabalhoadamente lançado sobre uma falsa pista. O que não impediu que se fizessem novas apostas em maior escala. Phileas Fogg, como um cavalo de corrida, chegava à última rodada. Não o cotavam mais a cem, mas a vinte, a dez, a cinco.

Assim, sábado à noite, havia multidão em Pall Mall e nas ruas vizinhas. Era como que uma imensa aglomeração de corretores, estabelecidos permanentemente nas proximidades do Reform Club. A circulação estava impedida. Discutiam, disputavam, apregoavam Phileas Fogg como títulos dos fundos ingleses. Os policiais tinham muita dificuldade em conter os populares, e à medida em que se aproximava a hora em que Phileas Fogg deveria chegar, a emoção tomava proporções inacreditáveis.

Nesta noite, os cinco colegas do cavalheiro estavam reunidos desde as nove da manhã no grande salão do Reform Club. Os dois banqueiros, John Sullivan e Samuel Fallentin, o engenheiro Andrew Stuart, Gauthier Ralph, administrador do banco da Inglaterra, o cervejeiro Thomas Flanagan, todos esperavam com ansiedade.

No momento em que o relógio do grande salão marcou oito e vinte e cinco, Andrew Stuart, levantando-se, disse:

Senhores, em vinte minutos o prazo combinado entre Sr. Phileas Fogg e nós terá expirado.

– A que horas chegou o último trem de Liverpool? – perguntou Thomas Flanagan.

– Às sete e vinte e três, respondeu Gauthier Ralph, e o trem seguinte só chega à meia noite e dez.

– Ora, senhores, retomou Andrew Stuart, se Phileas Fogg tivesse chegado pelo trem das sete e vinte e três, já estaria aqui. Podemos, pois considerar a aposta como ganha.

– Esperemos, não nos pronunciemos, respondeu Samuel Fallentin. Sabe que o nosso colega é um excêntrico de primeira. Sua exatidão é bem conhecida. Não chega jamais nem muito tarde nem muito cedo, e se aparecesse aqui no último minuto, eu não ficaria nada surpreso.

– E eu, disse Andrew Stuart, que estava, como sempre, muito nervoso, eu veria e não acreditaria.

– Com efeito, retomou Thomas Flanagan, o projeto de Phileas Fogg era insensato. Qualquer que fosse sua exatidão, não poderia impedir os atrasos inevitáveis de se produzirem, e um atraso de dois ou três dias somente bastariam para comprometer sua viagem.

– Devem notar, além disso, acrescentou John Sullivan, que não recebemos nenhuma notícia de nosso colega, e, entretanto, os fios telegráficos não faltavam no seu percurso.

– Perdeu, senhores, retomou Andrew Stuart, cem vezes perdeu! Sabem, além disso, que o China – o único navio de Nova York que ele poderia ter pego para chegar a Liverpool em tempo hábil – chegou ontem. Ora, eis a lista dos passageiros, publicada pela Shipping Gazette, e o nome Phileas Fogg não figura nela. Admitindo as possibilidades as mais favoráveis, nosso colega está apenas na América. Avalio em vinte dias, pelo menos, o atraso que sofrerá em relação à data combinada, e o velho lord Albermale sofrerá, ele também, por suas cinco mil libras!

– É evidente, exclamou Gauthier Ralph, e amanhã só teremos que apresentar no banco o cheque de Sr. Fogg.

– Neste momento o relógio do salão soou oito e quarenta.

– Ainda cinco minutos, disse Andrew Stuart.

Os cinco colegas se entreolharam. Podemos supor que os batimentos de seus corações tivessem sofrido uma pequena aceleração, porque afinal, mesmo para excelentes jogadores, a partida era forte! Mas nada queriam deixar transparecer, porque, por proposta de Samuel Fallentin, sentaram -se a uma mesa de jogo.

Não daria minha parte de quatro mil libras na aposta, disse Andrew Stuart, sentando-se, nem mesmo se me oferecessem três mil novecentos e noventa e nove!

O ponteiro marcava, neste momento, oito e quarenta e dois.

Os jogadores tinham pego as cartas, mas, a cada instante, seus olhares se voltavam para o relógio. Podemos afirmar que, qualquer que fosse sua segurança, jamais minutos lhes tinham parecido tão longos!

– Oito e quarenta e três, disse Thomas Flanagan, cortando as cartas que lhe apresentava Gauthier Ralph.

Depois um minuto de silêncio se fez. O vasto salão do clube estava tranquilo. Mas, lá fora, ouviu-se a barulheira da multidão, em que dominavam às vezes gritos agudos. O pêndulo do relógio marcava os segundos com uma regularidade matemática. Cada jogador poderia contar as divisões que feriam seus ouvidos.

– Oito e quarenta e quatro! – disse John Sullivan numa voz em que se percebia uma emoção involuntária.

Não mais que um minuto, e a aposta estaria ganha. Andrew Stuart e seus colegas não jogavam mais. Tinham abandonado as cartas! Contavam os segundos!

Ao 40ª segundo, nada. Ao 50º segundo, nada ainda!

Ao 55º segundo, ouviram uma espécie de trovoada lá fora, aplausos, hurras, e até imprecações, que se propagaram em maremoto contínuo.

Os jogadores se levantaram.

Ao 57º segundo, a porta do salão se abriu, e o pêndulo não tinha marcado o 60º segundo, quando Phileas Fogg apareceu, seguido por uma multidão em delírio que tinha forçado a entrada do clube, e com a sua voz calma:

– Aqui estou, senhores! – disse.

Capítulo 37

Phileas Fogg só ganhou a felicidade com a volta ao mundo

–Sim! Phileas Fogg em pessoa.

Devemos nos lembrar de que às oito horas da noite – vinte e cinco horas mais ou menos depois da chegada dos viajantes a Londres – Passepartout tinha sido encarregado por seu patrão de avisar o reverendo Samuel Wilson a respeito de certo casamento que deveria se realizar no dia seguinte mesmo.

Passepartout tinha então partido, encantado. Ele se dirigiu a passos rápidos à residência do reverendo Samuel Wilson, que ainda não tinha voltado. Naturalmente, Passepartout esperou, mas esperou uns vinte bons minutos pelo menos.

Resumindo, eram oito horas e trinta e cinco quando saiu da casa do reverendo. Mas em que estado! Os cabelos em desordem, sem chapéu, correndo como nunca se viu ninguém correr, derrubando os que passavam, se precipitando com o um vendaval sobre as calçadas!

Em três minutos, estava de volta à casa de Saville Row, e tombou, sem ar, no quarto de Sr. Fogg. Não podia falar.

– Que aconteceu? – perguntou Sr. Fogg.

– Meu patrão... balbuciou Passepartout, casamento... impossível.

– Impossível?

– Impossível... para amanhã.

– Por quê?

– Porque amanhã é domingo!

– Segunda! – respondeu Sr. Fogg.

– Não... hoje... sábado.

– Sábado? Impossível!

– É, é, é, é! – exclamou Passepartout. Enganou-se em um dia! Chegamos 24 horas antes... mas não restam mais que dez minutos!

Passepartout tinha agarrado seu patrão pelo colete, e o arrastava com uma força irresistível.

Phileas Fogg, assim levado, sem ter tempo para refletir, deixou seu quarto, deixou sua casa, saltou em um carro, prometeu cem libras ao cocheiro, e após ter atropelado dois cães e colidido com cinco veículos, chegou ao Reform Club.

O relógio marcava 8h35, quando apareceu no grande salão.

Phileas Fogg tinha completado a volta ao mundo em oitenta dias!... Phileas Fogg tinha ganho sua aposta de vinte mil libras!

E agora, como é que um homem tão exato, tão meticuloso, tinha podido cometer este erro de dia? Como se acreditava no sábado à noite, 21 de dezembro, ao desembarcar em Londres, quando estava na sexta, 20 de dezembro, setenta e nove dias somente após sua partida?

A razão deste erro é bem simples.

Phileas Fogg, sem perceber, tinha ganhado um dia em seu itinerário – e isto unicamente porque tinha feito a volta ao mundo indo para leste, e teria, ao contrário, perdido este dia se tivesse indo em sentido inverso, ou seja, para oeste.

Com efeito, andando para o leste, Phileas Fogg ia à frente do sol, e, por conseguinte, os dias diminuíam para ele tantas vezes quatro minutos quanto os graus que percorria naquela direção. Ora, temos 360 graus na circunferência terrestre, e estes 360 graus, multiplicados por quatro minutos, dão precisamente vinte e quatro horas – isto é, o dia inconscientemente ganho. Em outros termos, enquanto Phileas Fogg, andando para leste, viu o sol passar oitenta vezes pelo meridiano, seus colegas que tinham ficado em Londres só o viram passar setenta e nove vezes. Eis porque, naquele dia, que era sábado e não domingo, como supunha Sr. Fogg, eles o esperaram no salão do Reform Club.

E é o que o famoso relógio de Passepartout – que tinha sempre conservado a hora de Londres – teria constatado se, ao mesmo tempo que os minutos e as horas, tivesse marcado os dias!

Phileas Fogg ganhou as vinte mil libras. Mas como tinha gasto pelo caminho cerca de dezenove mil, o resultado pecuniário era medíocre. Todavia, e isso já foi dito, o excêntrico cavalheiro só tinha, nesta aposta, procurado a vitória não a fortuna. E mesmo, as mil libras restantes, as dividiu entre o honesto Passepartout e o infeliz Fix, a quem era incapaz de querer mal. Apenas, e por respeito às regras, descontou do seu servidor o preço das 2.900 horas de gás consumido por sua culpa.

Naquela mesma noite, Sr. Fogg, tão impassível, tão fleumático, dizia a Sra. Aouda:

– O casamento ainda lhe convém, madame?

– Sr. Fogg, respondeu Sra. Aouda, é a mim que cabe fazer essa pergunta. Estava arruinado, agora está rico...

– Me desculpe, madame, esta fortuna lhe pertence. Se não tivesse tido a ideia do casamento, meu criado não teria ido à casa do reverendo Samuel Wilson, eu não teria sido avisado do meu erro, e...

– Querido senhor Fogg... – disse a jovem.

– Querida Aouda... – respondeu Phileas Fogg.

Como é fácil supor o casamento se realizou 48 horas mais tarde, e Passepartout, soberbo, resplandecente, deslumbrante, figurou como padrinho da jovem. Não a tinha salvo, não lhe deviam aquela honra?

Somente, no dia seguinte, ao alvorecer, Passepartout bateu com insistência na porta de seu patrão.

A porta se abriu, e o impassível cavalheiro apareceu.

– O que é que há, Passepartout?

– Isso, senhor! É que acabo de perceber agora há pouco...

– O quê?

– Que poderíamos ter feito a viagem a volta ao mundo em 78 dias apenas.

– Sem dúvida, respondeu Sr. Fogg, não atravessando a Índia. Mas se eu não tivesse atravessado a Índia, não teria salvo Sra. Aouda, ela não seria minha mulher, e...

E Sr. Fogg fechou tranquilamente a porta.

Assim Phileas Fogg tinha ganho sua aposta. Tinha feito em oitenta dias a viagem ao redor do mundo! Tinha empregado para fazê-la todos os meios de transporte, navios, ferrovias, carruagens, iates, navios mercantes, trenós, elefante. O excêntrico cavalheiro tinha desenvolvido nesta empreitada suas maravilhosas qualidades de sangue-frio e de exatidão. E afinal? O que tinha ganho neste deslocamento? O que alcançara com esta viagem?

Nada? Nada, a não ser uma sedutora mulher, que – por mais inverossímil que possa parecer – o tornou o mais feliz dos homens!

Não faríamos, por menos que isso, a volta ao mundo?

FIM